JN254488

改訂第2版

胆膵EUS教本

—コンベックスEUSを極める—

監　修　大西　洋英　独立行政法人 労働者健康安全機構
執　筆　関根　匡成　自治医科大学附属さいたま医療センター総合医学第一講座

へるす出版

「改訂第２版」発刊によせて
～EUS 下病変穿刺の極意習得を目指して～

このたび，「胆膵 EUS 教本」の改訂第２版を上梓いたします。本教本の初版は 2018 年の発刊直後から，EUS の初学者から上級者に至るまでの多くの先生方に，「この教本でスクリーニング EUS の真髄を体得することができた」「コンベックス型 EUS を学ぶための大変理解しやすい教科書だ！」「EUS を学ぶ後輩にぜひとも通読するよう勧めている」など多くの高評価を頂戴いたしました。この場をお借りしまして，心より感謝申し上げます。

改訂第２版の本書においても，初版の「コンベックス EUS による胆道・膵臓などの確実なスクリーニング観察手技を必ず体得できる教科書たれ！」とのポリシーを堅持しています。よって，本書では初版以上に多くの画像や WEB 動画を参照しながら，まず EU 挿入法から始まり，次に胃内・十二指腸球部・同下行部からの系統だった確実な胆膵スクリーニング観察を順次マスターし，さらには腹腔内血管や脾臓・副腎などの関連臓器の観察，ひいては縦隔の観察や術後腸管症例の観察もマスターできる構成となっています。

また新たに，EUS-FNA の基本から極意をマスターするための第８章を設けました。胆膵疾患診療における interventional EUS の必要性ならびに重要性はますます増大しており，その手技も腫瘍生検，胆管・膵管ドレナージ，膵囊胞ドレナージなど多岐にわたります。しかしそれら多種多様な手技に一貫して通じる基本は，病変の確実な描出と確実な穿刺であり，これを十分にマスターすることで各種 interventional EUS の体得も容易となります。そこで本書の第８章では，interventional EUS のもっとも基本的手技である EUS-FNA における確実な病変の描出と穿刺について，その基本から極意までを豊富な動画等とともにあまねく開陳しており，必ずや先生方にその基本から高度技術に至るまでを習熟していただけると確信しております。そしてその暁には，コンベックス EUS を自由自在に駆使しての各種 interventional EUS に挑戦していただくことを願っております。

先生方におかれましては，本改訂第２版を常に携えていただきながら WEB 動画を照覧くださり，一人でも多くの先生方がコンベックス EUS による胆膵スクリーニングならびに EUS-FNA を完璧にマスターされ，ひいてはあらゆる interventional EUS 技術をも駆使できる胆膵疾患診療のエキスパートとして活躍してくださることを心より願っております。

2022 年 9 月吉日

独立行政法人　労働者健康安全機構
大西　洋英

改訂第2版 胆膵EUS教本
—コンベックスEUSを極める—

目　次

動画配信

本書に関連した，EUS 動画がご覧いただけます。
各頁にある二次元コードをスマートフォンやタブレットなどで読み取ってください。
なお，動画閲覧の際は，以下の注意点を必ずお読みください。

〔 注 意 点 〕

1．動画はストリーミング配信による閲覧となります。スマートフォンやタブレットなどで動画を再生する場合，多額のパケット通信料が請求されるおそれがありますので，ご注意ください。
2．動画の公開を終了する場合は，弊社ホームページに告知いたします。

動画目次

第1章 胃内操作（スクリーニング）

第2章　十二指腸球部（D1）操作

第3章　十二指腸下行部（D2）操作（スクリーニング）

第4章　腹腔内動脈の観察

第5章　縦隔観察

第8章　EUS-FNA

表紙中央写真提供：オリンパス

序章　本書を読むための基礎知識

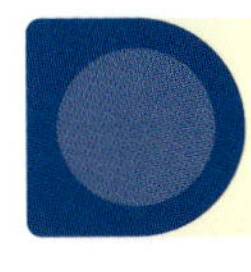

操作用語

アイコン説明

本書では，内視鏡操作方法を示す以下の６種類のアイコンを使用し，解説します。

時計回り：

反時計回り：

アップアングル：

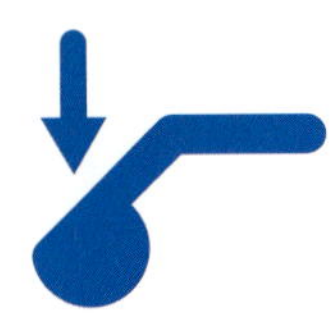

ダウンアングル：

PUSH 操作：

PULL 操作：

プローブと画面の相関

内視鏡のプローブの位置と画面に現れる画像の関係をまずしっかり理解しましょう（図 1）。

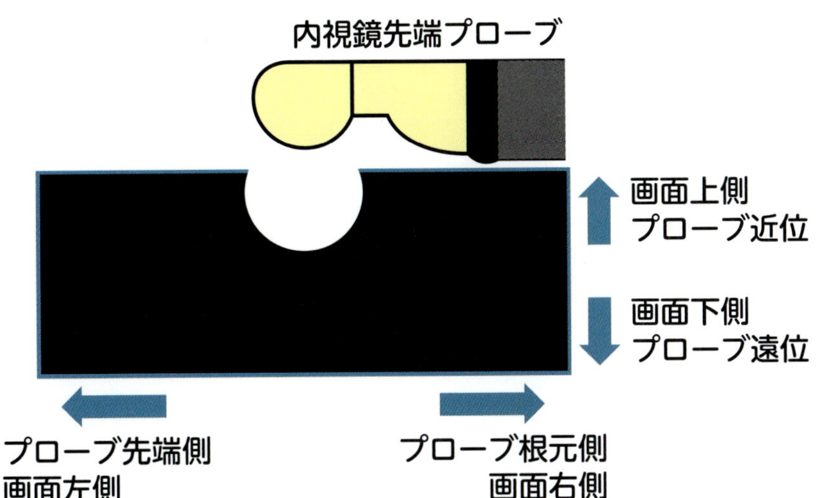

図 1

EUS画像描出のための基本操作

Point

- 観察臓器（●）が画面の5～7時の間，画面の上2/3（オレンジ三角内）に位置するように調整しましょう（図2）。
- EUSにとって空気は大敵です。常に吸引をかけるように心がけましょう。

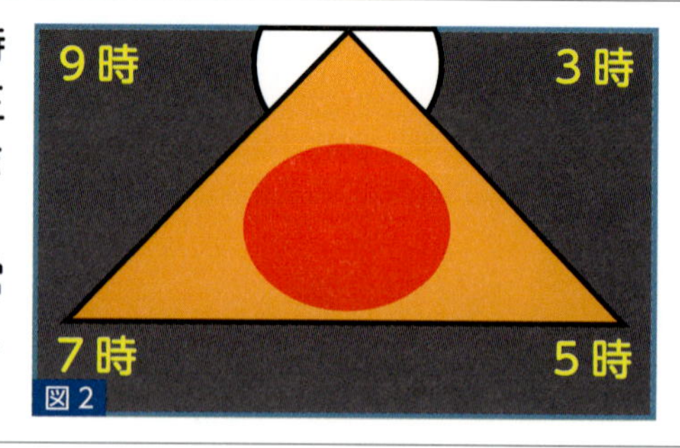

図2

基本操作は3種類です。
3つの動きの組み合わせで，ほぼすべての描出が可能になります。

基本操作1　回旋操作

方法：スコープを左右にひねる操作です（写真1）。

術者から見てスコープの右回し→時計回り

術者から見てスコープの左回し→反時計回り

回旋操作を行うとき：観察したい臓器を連続的に描出していきたいときには，見たいものを画面の5～7時の間に位置させて，この回旋操作を行います。

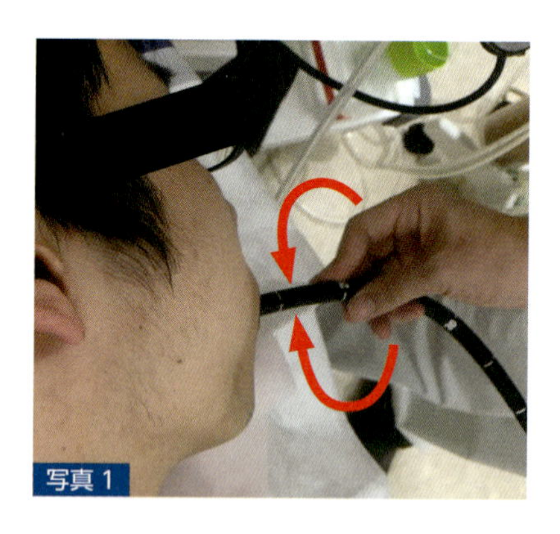
写真1

基本操作2　アングル操作

方法：内視鏡の上下アングルの操作です（写真2）。

アップアングル操作→観察したい臓器にプローブが近づきます

ダウンアングル操作→観察したい臓器からプローブが遠ざかります

アングル操作を行うとき：観察したい臓器とプローブとの距離を変えたいときに，このアングル操作を行います。

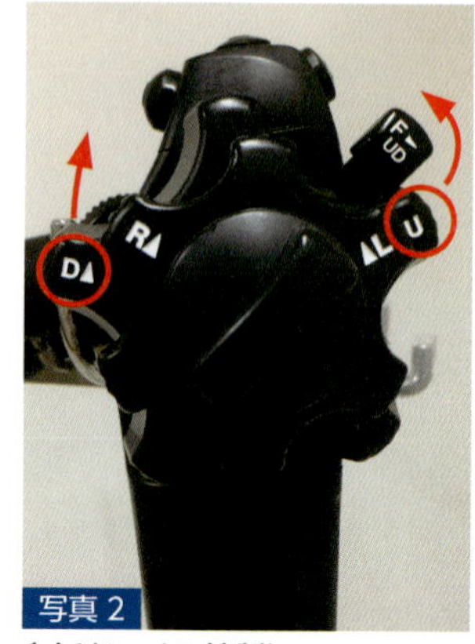

写真2
〔オリンパス社製〕

解説：EUS でのアングル操作であるため，腹部エコー（US）と異なり，画面上，単純に上下移動ではなく，実際はアップアングル操作をした際（**図３左**），画面上観察したい臓器は右下から左上への動きとなります（**図３右**）。そのため，操作をゆっくり行い，適宜PUSH・PULL 操作（後述）も組み合わせていくことで観察臓器を見失うことが少なくなります。

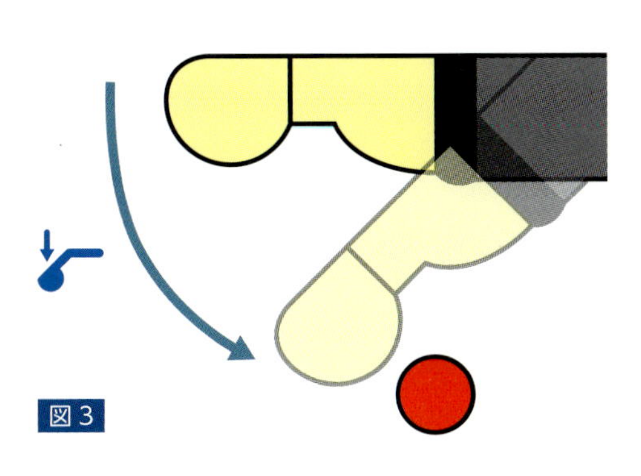

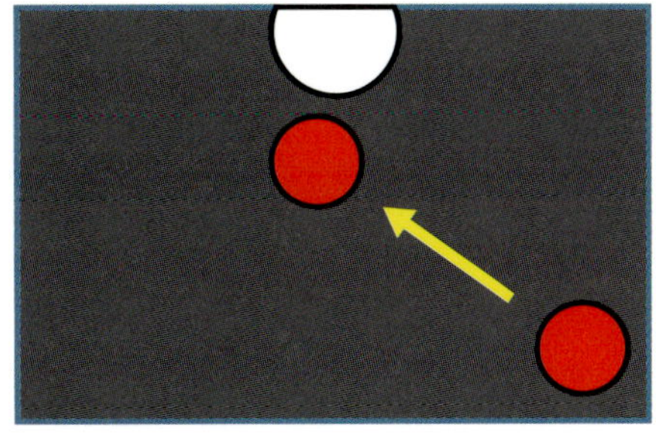

図３

基本操作３　PUSH・PULL 操作

方法：内視鏡の出し入れ（押し引き）の操作です（**写真３**）。

PUSH 操作→画像は画面右方向に移動します

PULL 操作→画像は画面左方向に移動します

PUSH・PULL 操作を行うとき：観察したい臓器を画面の左右方向に移動させたいときに，この PUSH・PULL 操作を用います。

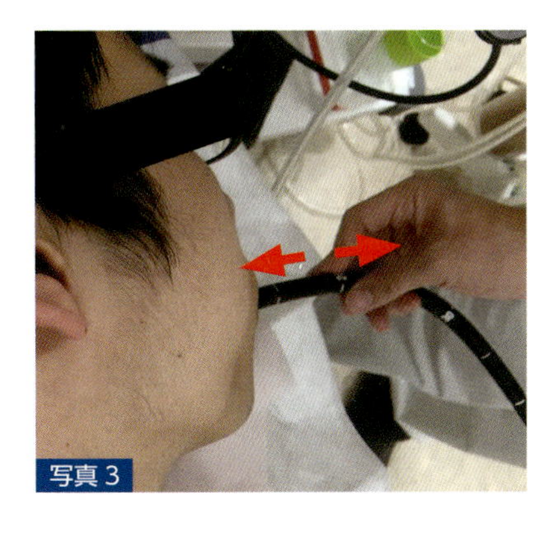

写真３

EUS 操作の基本的注意事項

EUS は消化管内の操作のため，無理な操作を行うと消化管穿孔などが起きる危険性があります。以下の強い抵抗感を感じた際は，スコープを元の位置に戻してやり直しましょう。

1. PUSH 操作時にはスコープを保持する右手指に感じる抵抗感に注意しましょう。
2. 十二指腸球部における回旋操作時には，右手首に感じる抵抗感に注意しましょう。

定　義

- コンフルエンス：本書においては，上腸間膜静脈と脾静脈が合流し門脈となる部位をコンフルエンスと定義します。
- メルクマール：EUS 観察の際に基点・目印とする，コンフルエンスや肝臓などをメルクマールと定義します。

第1章 胃内操作（スクリーニング）

Step 1 口から食道までの挿入

（時間：53 秒）

Point まずは挿入からです。安全な挿入法を覚えましょう。

1 挿入前に，患者さんの顔の上でスコープにアップアングルをかけて，スコープの角度を口から咽頭への角度にあわせておきましょう（写真 1）。

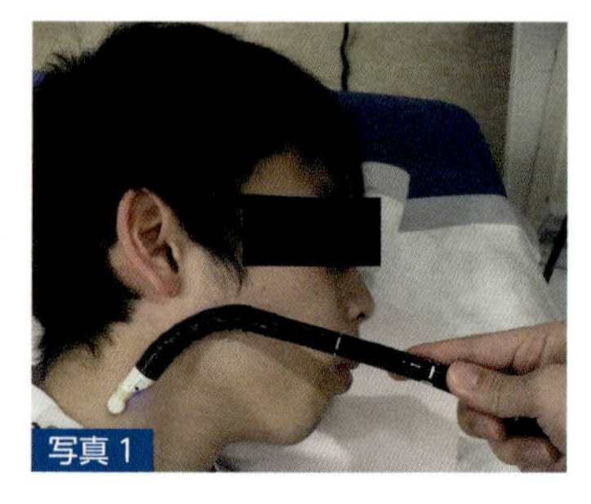
写真 1

2 アップアングルをかけたままスコープの先端を口から挿入しましょう（図 1）。次に軟口蓋から咽頭後壁にスコープが沿うよう，少しアップアングルをゆるめてスコープを進めていきましょう（図 2）。

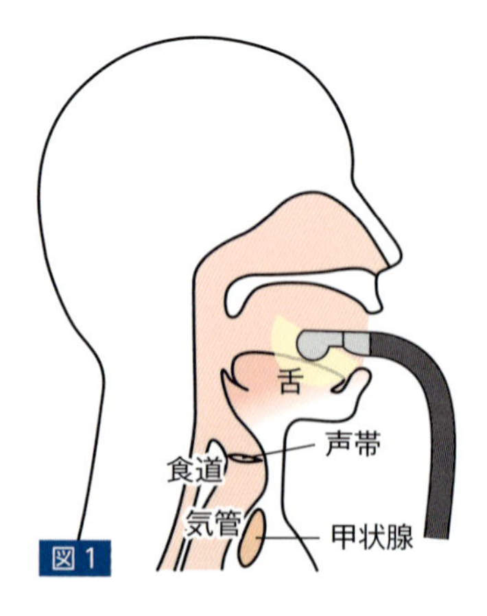

図 1

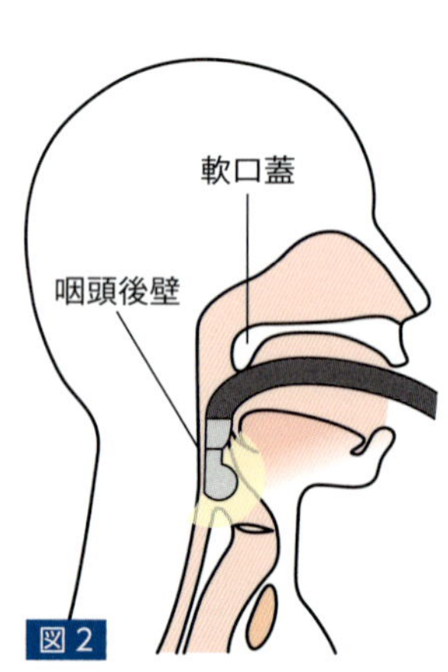

図 2

3 スコープ先端が左梨状窩に位置するところまでゆっくり挿入します（写真 2）。スコープに少しダウンアングルをかけ，時計回りに回旋させながら，ゆっくり食道入口部に挿入します（写真 3）。

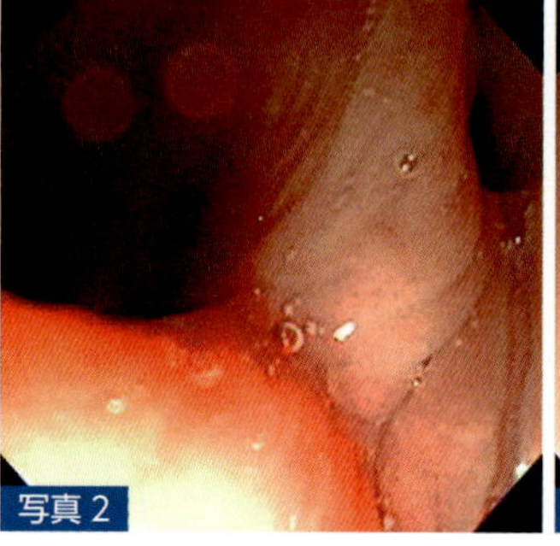
写真 2

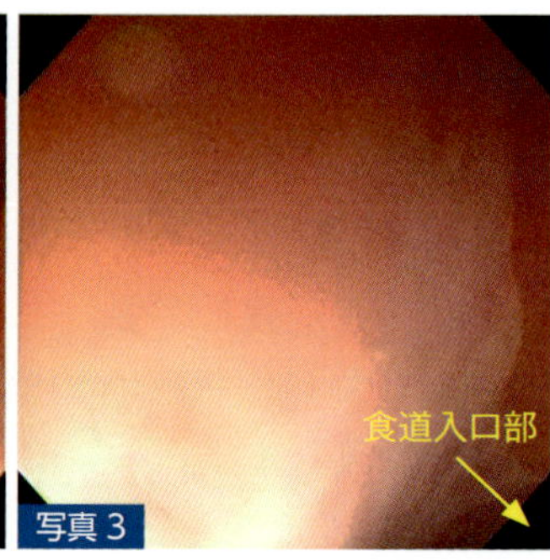

写真 3

4 食道に入ったら軽くダウンアングルをかけて，画面に食道壁が見えるようにしましょう（**写真4**）。スコープを進める右手に抵抗を感じたときは，無理に進めず，少しスコープを引きましょう。軽くダウンアングルをかけ，食道内腔の進行方向を確認しながら，挿入していきましょう（**写真5**）。

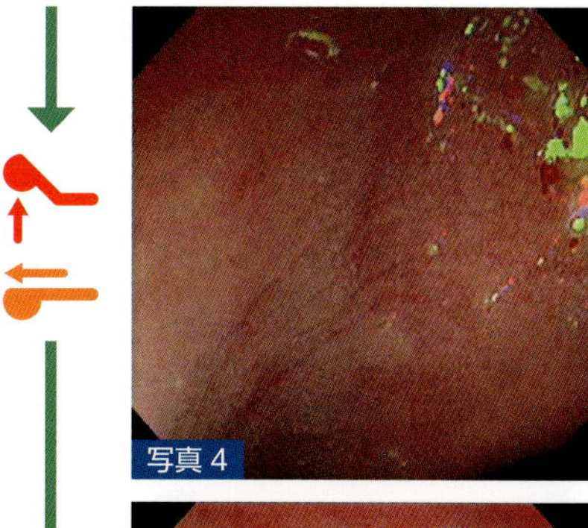
写真4

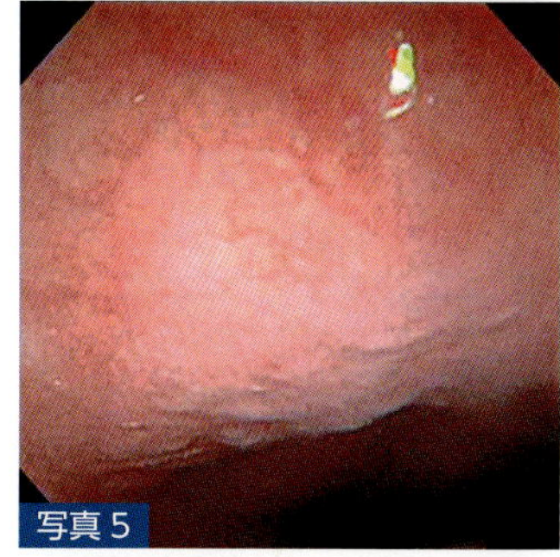
写真5

5 柵状血管が見えてきたら，下部食道に到達です（**写真6**）。

写真6

トラブルシューティング
咽頭挿入ができないとき

● 方法1

（時間：32秒）

少しバルーンをふくらませて，左梨状窩にスコープ先端を軽く押し当てます。次にバルーンの空気を吸引しながらスコープを挿入させると，スコープ進入方向と食道入口部の方向があって入りやすいです（**写真7**）。

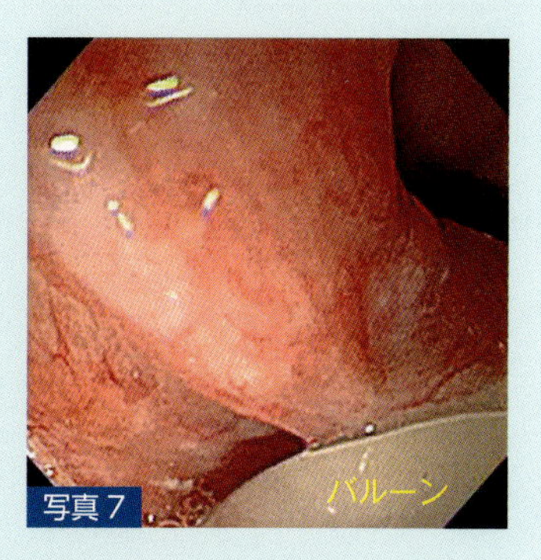

写真7

● 方法２

▶動画３
(時間：35 秒)

スコープ先端が右梨状窩に進むときは，右梨状窩からダウンアングルと反時計回りで入っていきます（写真 8）。

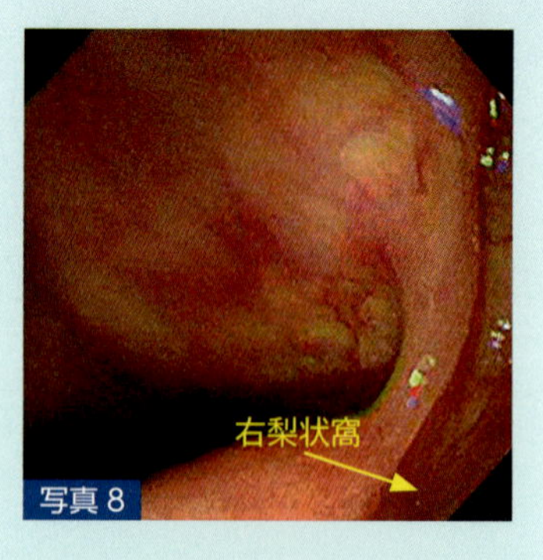

写真 8

● 方法３　オーバーチューブを使う方法

まず EVL（endoscopic variceal ligation：内視鏡的静脈瘤結紮術）による食道静脈瘤治療を行うときと同じように，直視スコープを用いてオーバーチューブを口から食道内まで留置します。そして直視スコープを抜去後，EUS スコープをオーバーチューブ内に通して挿入します。その後は通常どおりに検査を行います。

使用するオーバーチューブは，オリンパス EUS スコープ（GF-UCT260）には内径 16mm 以上のオーバーチューブを，フジ EUS スコープ（EG-580UT）には内径 15mm 以上のオーバーチューブを使用します。

Step 2　胃への挿入から超音波観察開始まで

(時間：53 秒)

Point　EUS 観察のための準備を整えましょう。

1　食道胃接合部（EGJ）で軽く反時計回りに回旋をかけながら，胃内に入ります（**写真 9**）。

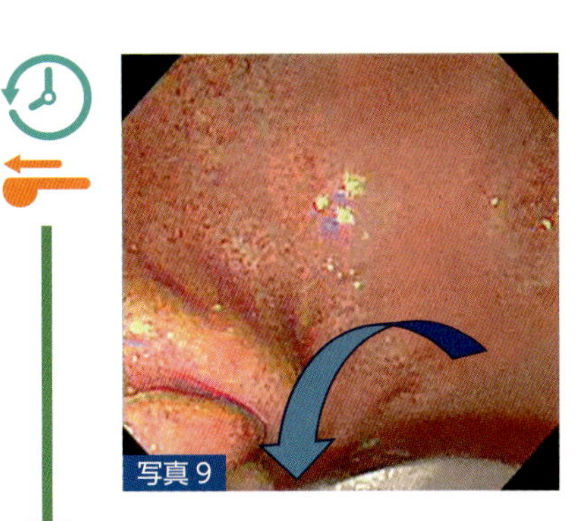
写真 9

2　胃に入ったらスコープを時計回りに戻しながら進めていくと（**写真 10**），胃前庭部にスムーズに挿入されます（**写真 11**）。

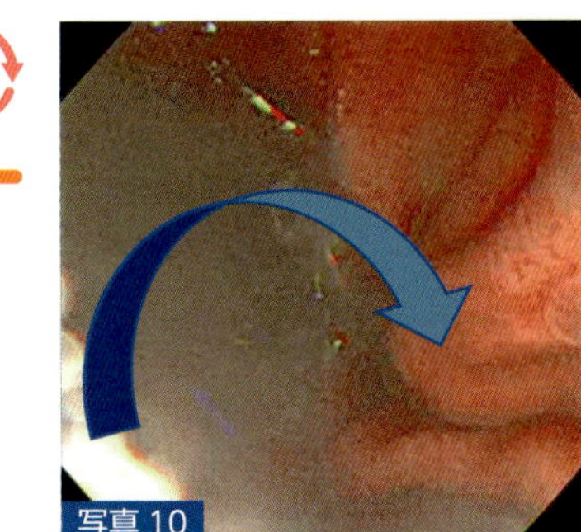
写真 10

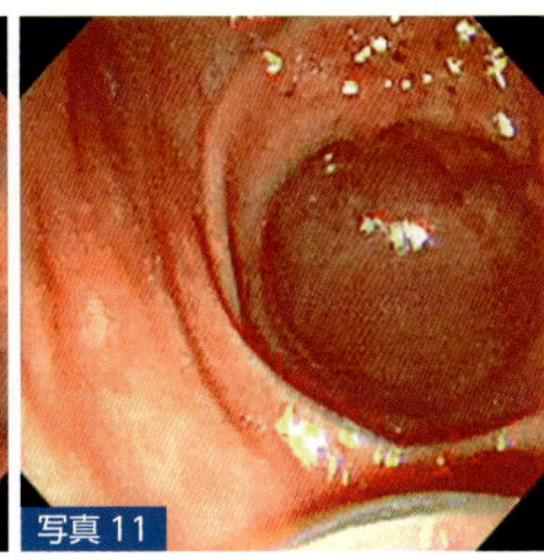
写真 11

3　胃内挿入後（**図 3**），胃前庭部でスコープを押し込み，胃を伸ばします（**図 4**）。伸ばす理由は 8 頁の **奥義** を参照。

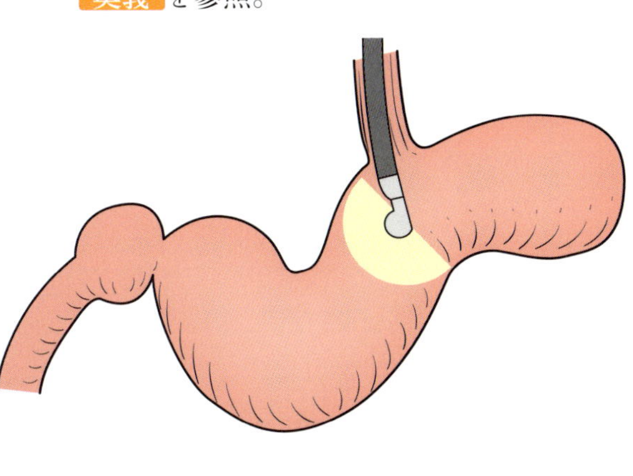
図 3

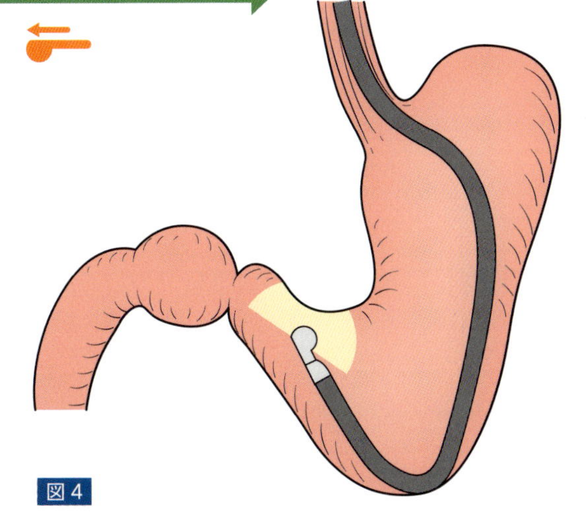
図 4

4 モニター画像を超音波画像に切り替え，スコープを切歯から約 50cm くらいまでまっすぐ引いてくると，肝左葉の超音波画像が描出されます（**図 5，写真 12**）。

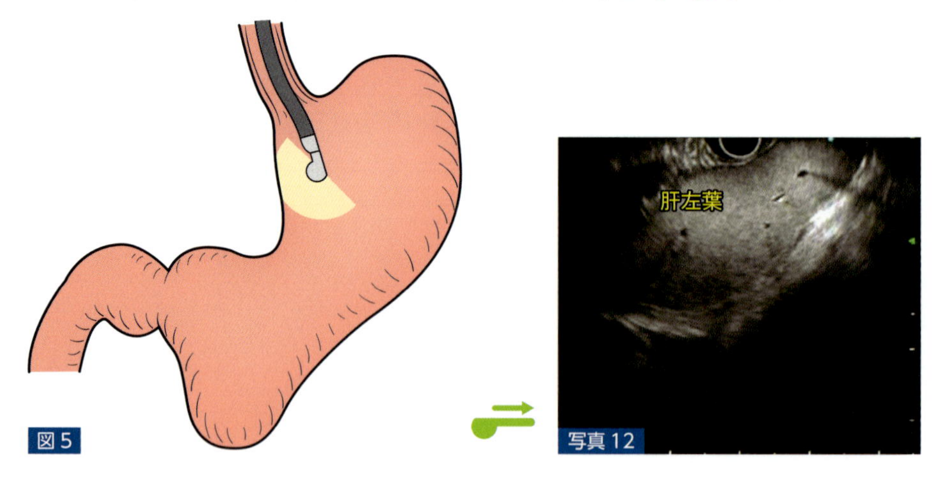

図 5

写真 12

トラブルシューティング

肝臓が描出できないとき

胃前庭部からスコープを引いてきたときに，少し反時計回りに回旋すると描出されやすくなります。

注意点

胃前庭部からスコープを引いてきたときに心臓が見えたら，引きすぎです。そこは食道内なので，Step2 の **1** からやり直しましょう。

奥義　胃内スコープ反転防止法

胃内挿入直後に超音波画像に切り替えても，肝臓は描出されます。しかし，胃前庭部までスコープをいったん押し込むことで胃体部大彎が伸ばされて，スコープが分水嶺に引っかかり穹窿部で反転することを防げます（7 頁 Step2 **3** 参照)。

Step 3 肝左葉から膵頭体移行部までの観察

描出する臓器 肝左葉，肝外門脈，下大静脈，大動脈，腹腔動脈，上腸間膜動脈，膵体部

メルクマール 肝臓，門脈，大動脈

Point 基本的には肝左葉から時計回りで描出していきましょう。

1 肝左葉が描出されたら（**写真 13**）肝臓が見えなくなるところまでゆっくり反時計回りに回旋させます。回旋させると肝左葉辺縁が同定されます（**写真 14**）。そこが観察のスタート地点になります。

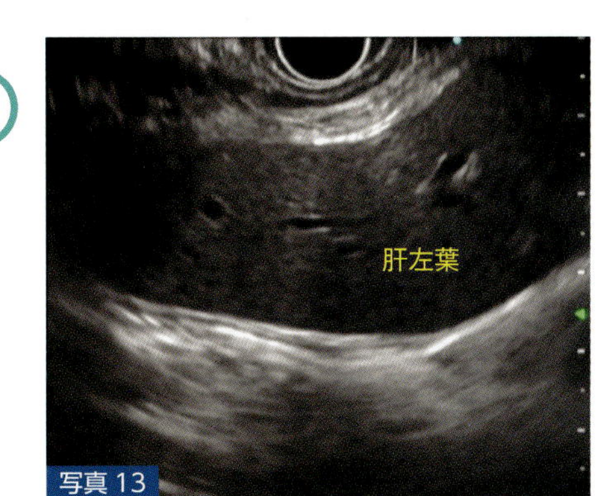

写真 13

2 肝左葉辺縁から時計回りに回旋させ，改めて肝左葉をしっかり観察していきましょう。

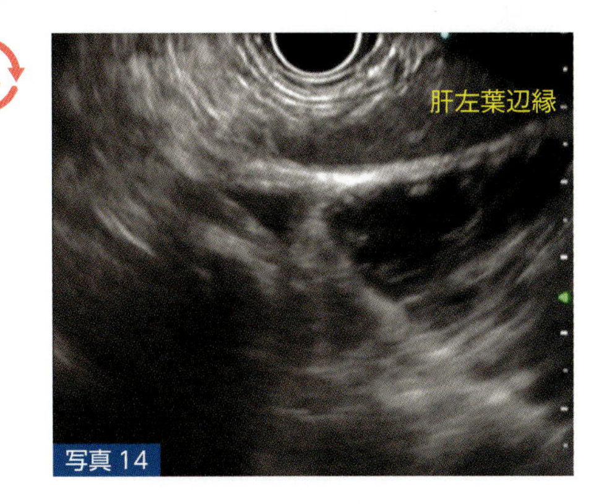

写真 14

3 さらに時計回りに回旋させると，肝 S2，S3，左肝静脈が描出されてきます（**写真 15**）。プローブに近位が S2 で遠位が S3 になります。

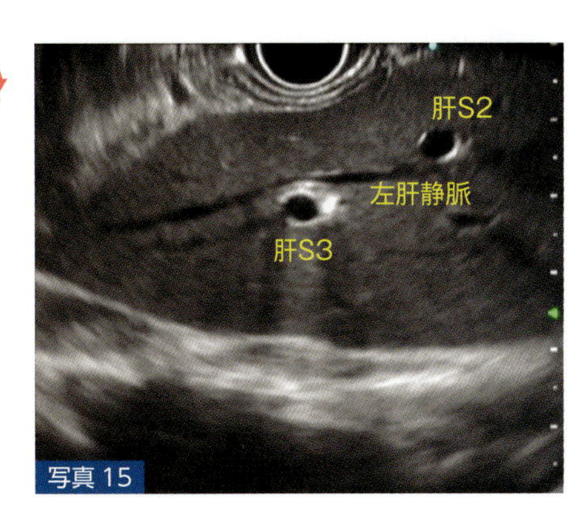

写真 15

4 さらに時計回りに回旋していくと肝S2，S3の門脈枝が合流し，門脈臍部が描出されます（**写真16**）。このときに門脈臍部をPUSHやPULL操作を用いて画面の5～7時の間に描出されるように調整しておきましょう。

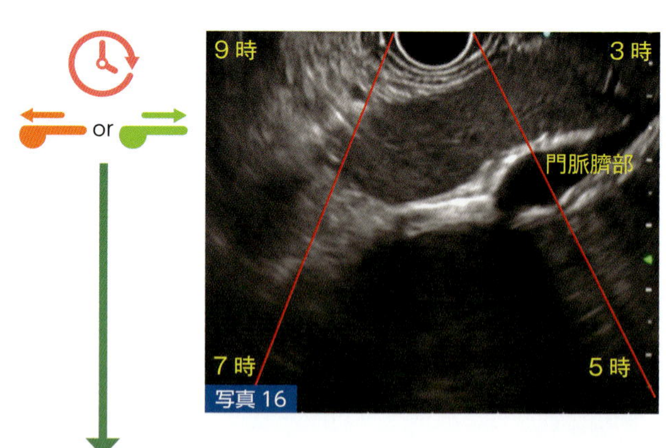

写真16

5 そこから，さらに時計回りに回旋していくと門脈左枝から肝外門脈が描出されてきます（**写真17**）。肝外門脈からプローブの遠位（画面の下端）に門脈右枝が分岐するように描出されます。肝外門脈のプローブ遠位側に並走するのが肝外胆管です。

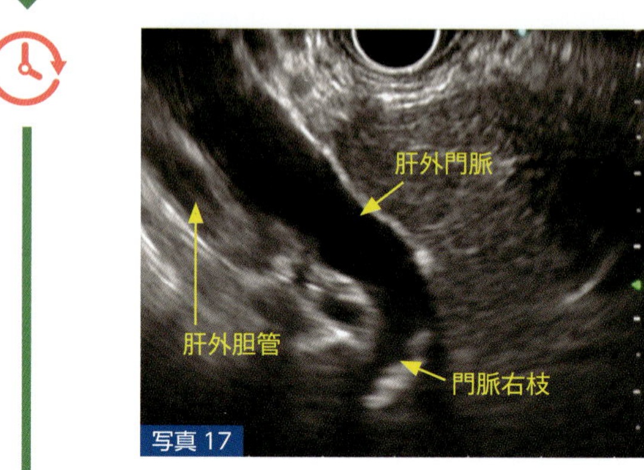

写真17

6 さらに時計回りに回旋していくと，下大静脈（IVC）が描出されてきます（**写真18**）。このとき，IVCのプローブ側に見える肝臓がS1になります。

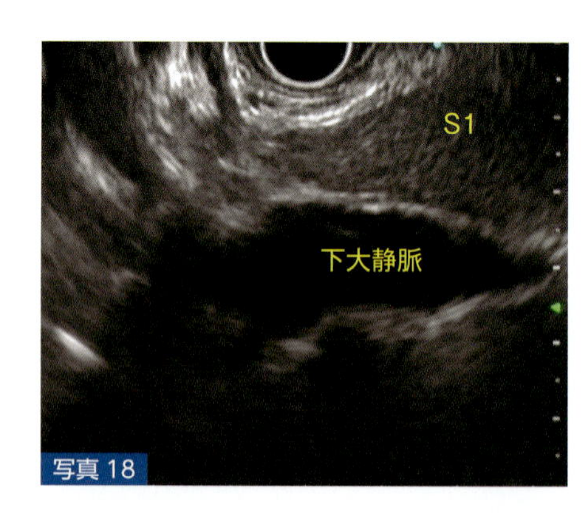

写真18

7 さらに時計回りに回旋していくと，下行大動脈が描出されてきます。スコープのわずかな出し入れ，ならびにわずかな左右両方向の回旋操作を行い，腹腔動脈幹と上腸間膜動脈（SMA）の起始部が描出されてきます（**写真19**）。
腹腔動脈とSMAが同一画面に出ないこともあるので注意しましょう。その場合には左右の回旋を加えて各々を描出しましょう。

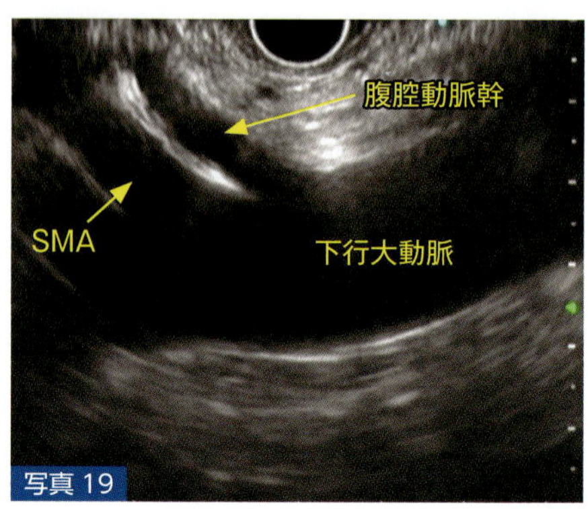

写真19

8 腹腔動脈とSMAの起始部が描出されている位置からスコープを押し込みながら，ダウンアングルをすることで膵体部の膵実質が描出できます（**写真20**）。

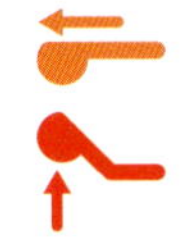

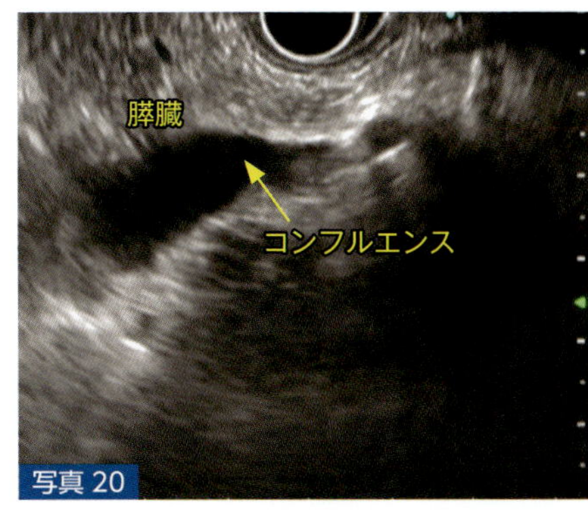

写真20

9 膵体部が描出されたら，主膵管をPUSH操作とダウンアングルを用いて画面の5～7時の間に位置し（**写真21**），そこから反時計回りに回旋させていくと主膵管がプローブの遠位（画面の下端）に離れていきます。そこが膵頭体移行部になります（**写真22**）。

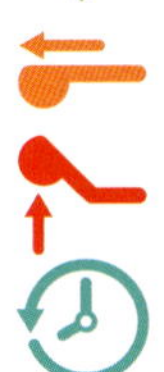

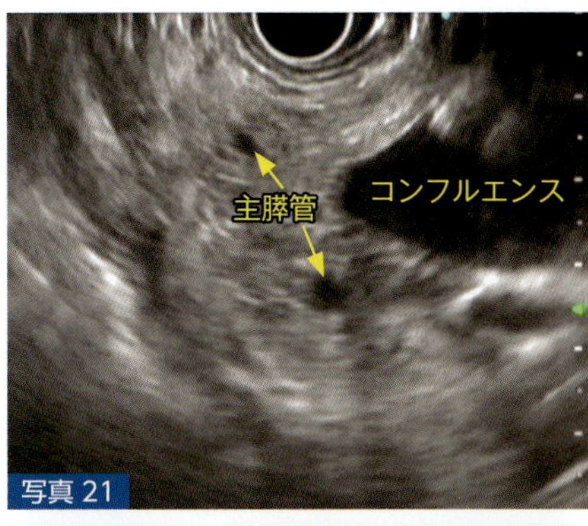

写真21

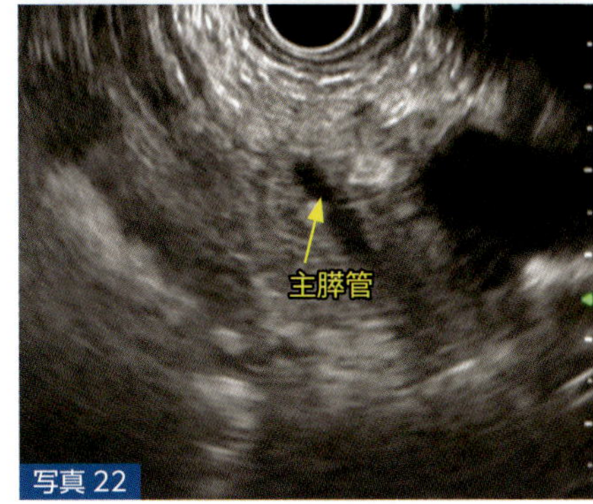

写真22

トラブルシューティング

膵体部が描出できないとき

●メルクマールである大動脈の描出が困難なとき（10 頁 Step3 7 ができないとき）：コンフルエンスを描出することで解決できます

（時間：39 秒）

まずは，肝外門脈を長軸に描出しましょう（写真 23）（10 頁 Step3 5 参照）。スコープの PUSH 操作で肝外門脈を追従していくと，コンフルエンスに到達します（写真 24）。そこが膵体部です。

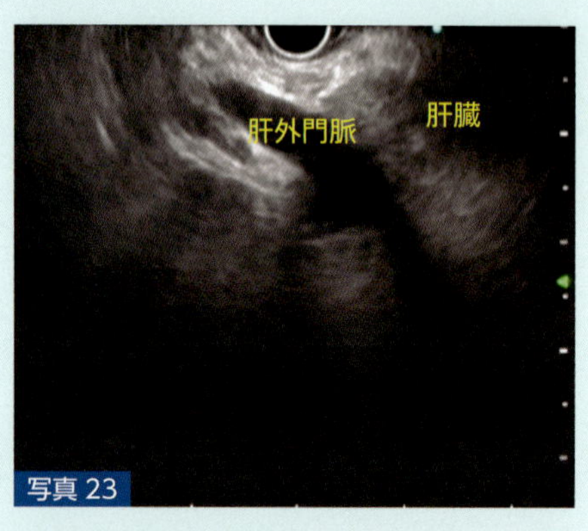

写真 23

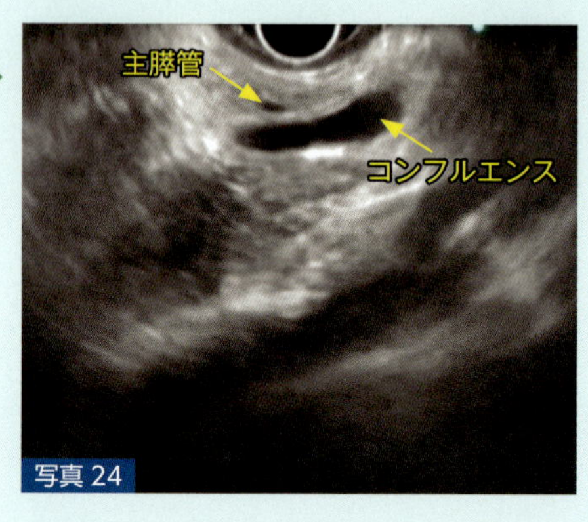

写真 24

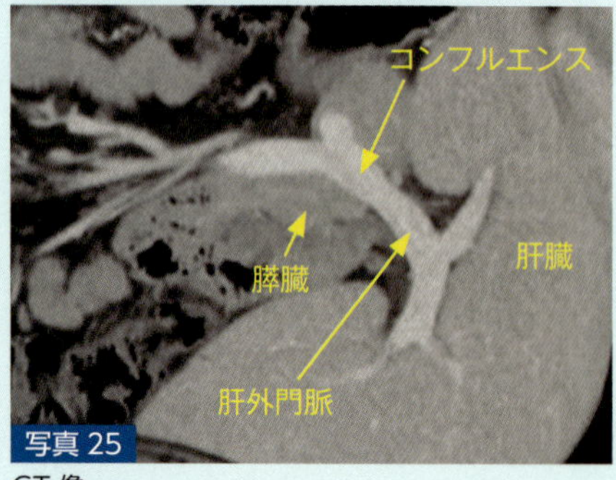

写真 25
CT 像

門脈走行の全体を CT で俯瞰すると，写真 25 のようになります。肝外門脈を足側に追従していくと，コンフルエンスに到達し，膵体部が描出されるのが理解しやすいと思います。

●腹腔動脈起始部からスコープの PUSH 操作とダウンアングル操作をしても膵体部が描出できないとき（11 頁 Step3 8 ができないとき）：脾動脈を追従することで解決できます

腹腔動脈起始部から（写真 26）回旋操作と PUSH 操作で腹腔動脈を追従していくと脾動脈と総肝動脈が分岐します（写真 27）。そこから時計回りに脾動脈を追従すると膵体部が脾動脈の画面左側に描出されてきます（写真 28）（54 頁 Step1 5-1 を参照）。

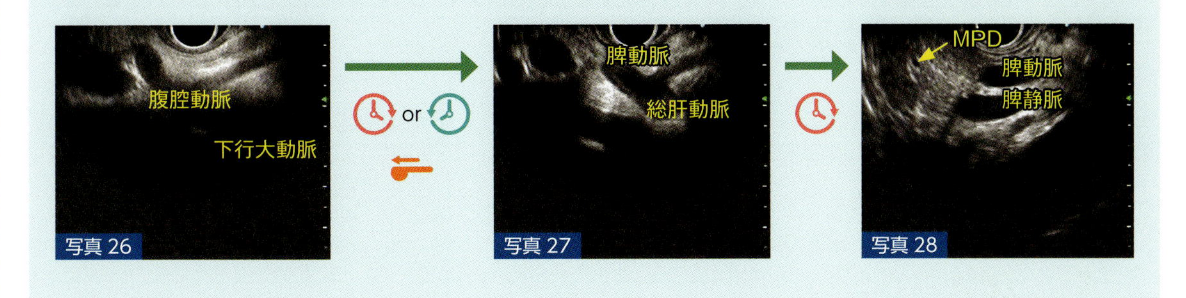

奥義　膵臓描出の解剖的理解

膵臓は，腹腔動脈起始部と SMA の間に位置します（図 6）。腹腔動脈起始部からダウンアングル（図 7）と PUSH 操作（図 8）を加えるとプローブが膵臓に向かうのがわかります。図示すると以下のようになります。

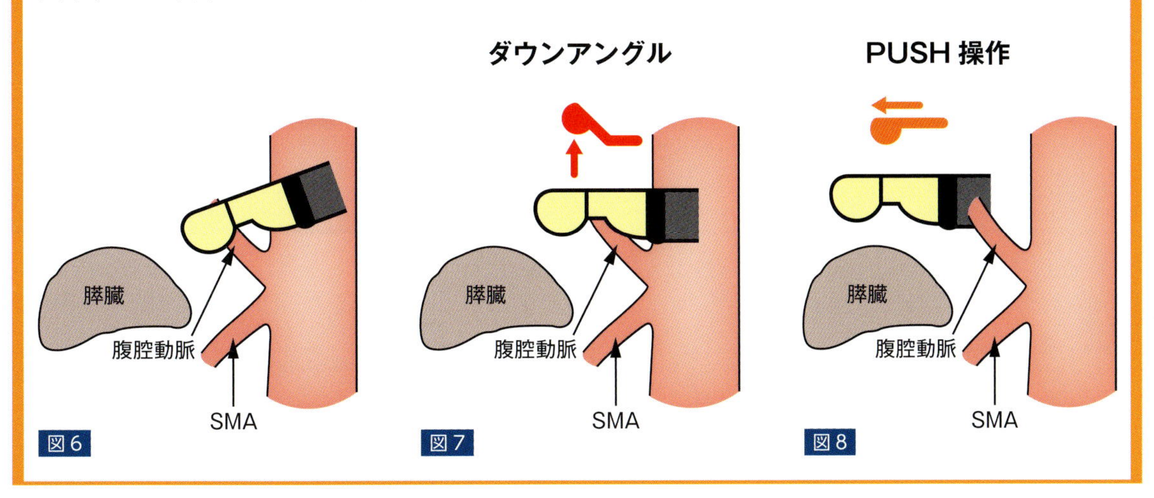

Step 4　膵頭体移行部から膵尾部の観察

（時間：1分12秒）

描出する臓器　膵頭体移行部から膵尾部まで

メルクマール　コンフルエンス，脾臓

Point　時計回り，アップアングル，PULL 操作をうまく組み合わせて膵臓を見失わないように描出していきましょう。

1　主膵管を超音波画面の5～7時の間に保ちながら時計回りに回旋し，主膵管を膵頭体移行部（**写真29**）から膵体部（**写真30**），膵尾部（**写真31**）にかけて追従する操作になります。
主膵管を画面の5～7時の間に位置するためには時計回りに加え，スコープのPULL操作とアップアングルを適宜使っていきましょう。アップアングルをかけすぎると主膵管を押しつぶして描出しづらくなるので注意しましょう。

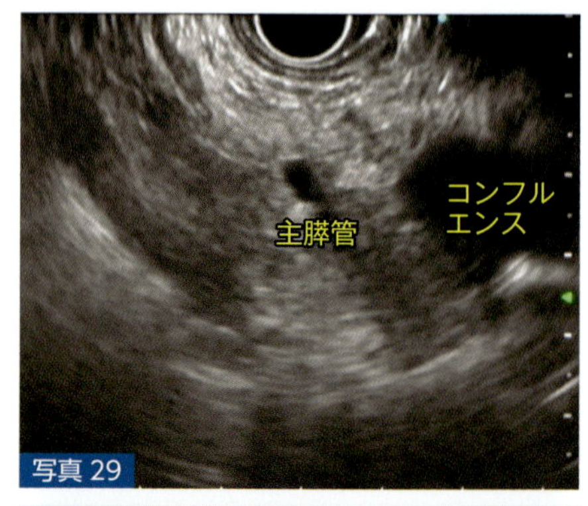

写真 29

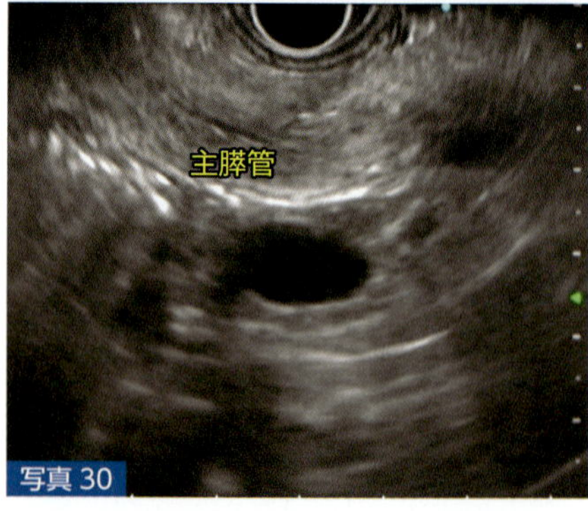

写真 30

2　脾門部の膵尾部末端までしっかり観察しましょう。とくにここは見落としやすいポイントなので，脾臓までしっかり確認することが重要です（**写真31**）。スコープの時計回りとアップアングルにPUSH・PULL操作を加え，膵尾部まで確認することが重要になります。

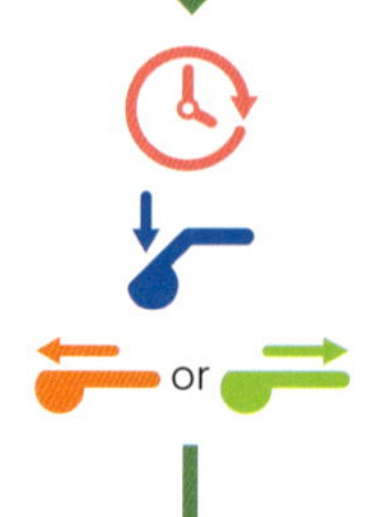

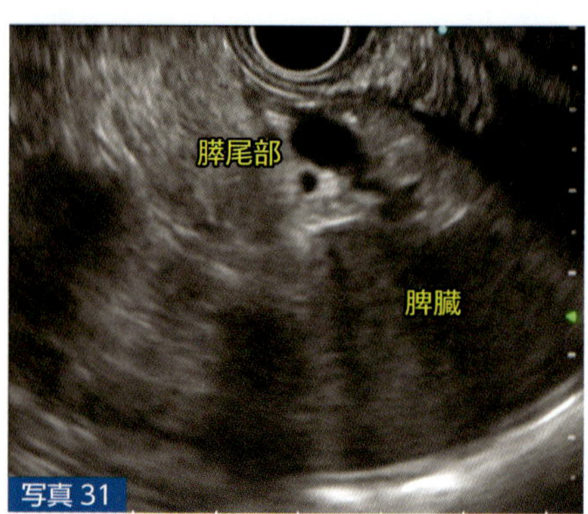

写真 31

奥義　確実な膵臓描出 Part 1

操作は単純なのに，安定した膵臓の描出は意外と難しい！　それは，3 つの操作が重なるためです。その 3 つの操作の理由を理解して組み合わせていきましょう。

①時計回り操作の理由 

●を中心に回旋させましょう（写真 32, CT 像赤矢印）。棒線（黄，緑，青）で切った膵臓の輪切り像を次々と観察していきます（写真 33 ～ 35）。

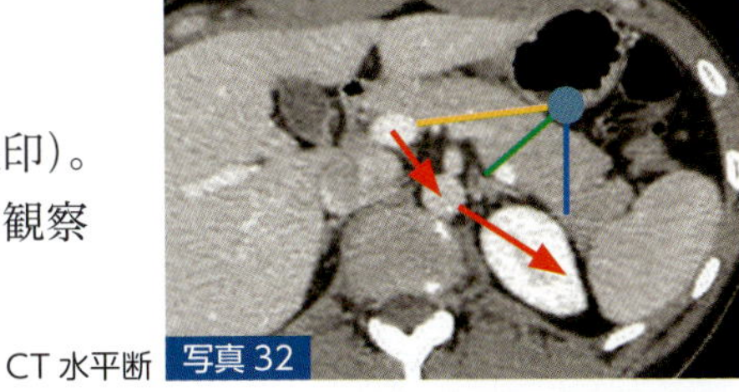
CT 水平断　写真 32

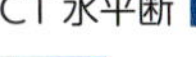

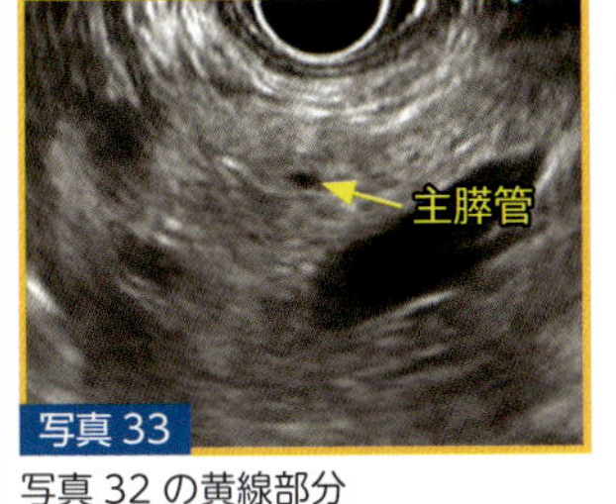

写真 33
写真 32 の黄線部分

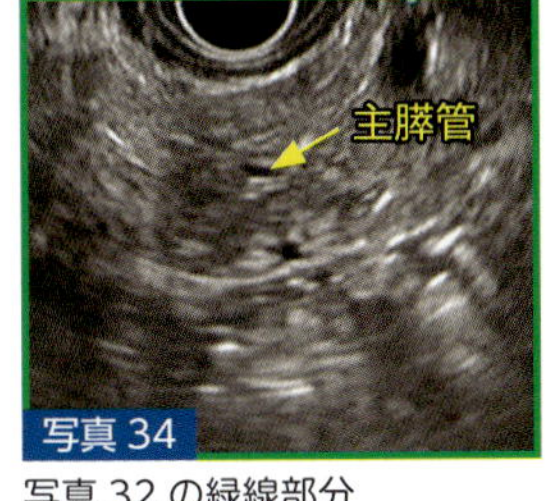

写真 34
写真 32 の緑線部分

主膵管
左腎
写真 35
写真 32 の青線部分

② PULL 操作の理由 

膵体部と膵尾部では膵尾部のほうが一般的に頭側に位置します。そのため膵体部から膵尾部を描出する過程でスコープを PULL 操作する必要があります（写真 36，CT 像赤矢印）。

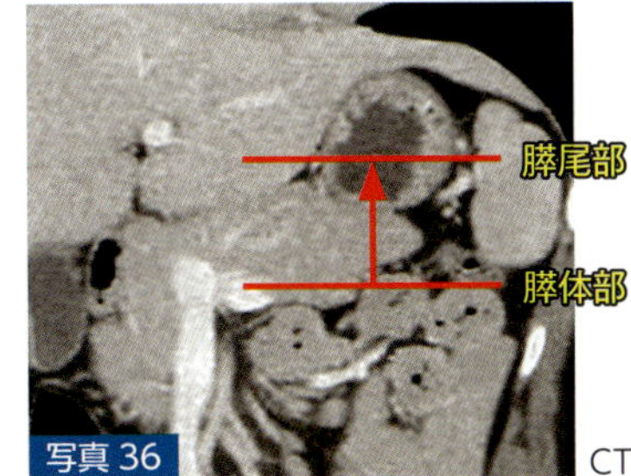

写真 36　CT 冠状断

③アップアングルの理由 

胃と膵臓は膵体部付近で接しているため，プローブから近い位置で観察できます（写真 37，CT 像赤矢印）。しかし，脾臓，脾臓付近の膵尾部末端は胃から離れるため（写真 38，CT 像黄矢印），アップアングルでプローブを脾臓に近づける必要があります（写真 39）。

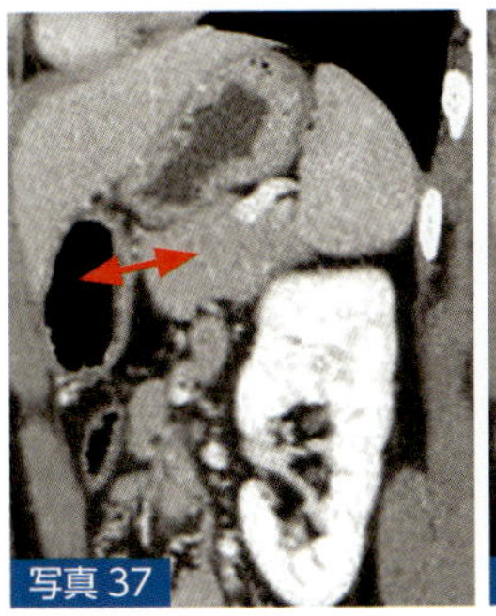
写真 37

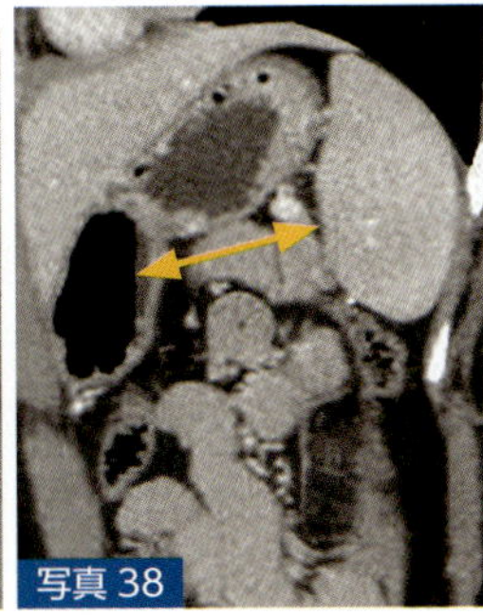
写真 38

CT 矢状断

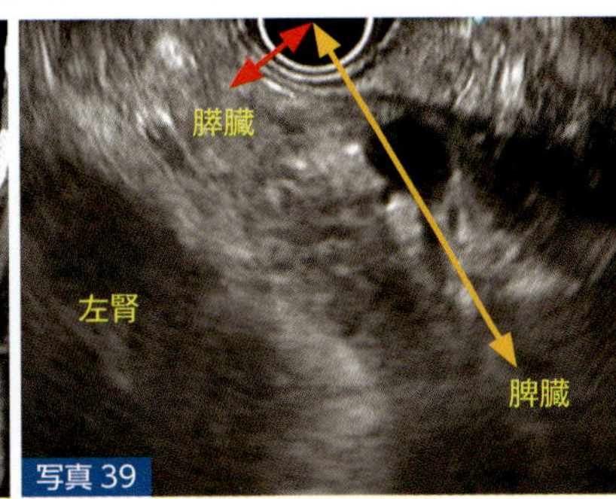

写真 39

奥義　確実な膵臓描出 Part 2

主膵管が短軸で描出されているなら，主膵管を画面の 5 ～ 7 時の間に位置することで膵臓実質を見失うことは少ないです。

見失うケースの多くは主膵管が長軸に見えるときです（**写真 40**）。青丸はプローブの位置を示しています。

- 写真 40 での青線は主膵管が短軸に見えているとき
  青矢印のように回旋しても膵臓実質は見失いません（青点線）。
- 写真 40 での赤線は主膵管が長軸に見えているとき
  赤矢印のようにそのまま回旋すると膵臓実質が画面から消えてしまいます（赤点線）。
  主膵管が長軸に描出されたら（**写真 41**），画面右側の膵臓実質（☆）をスコープの PULL 操作で画面の 5 ～ 7 時の間に☆を移動させましょう（**写真 42**）。この操作を CT で表すと**写真 43** の緑矢印のようになり，赤線が**写真 41**，黄線が**写真 42** で見える画像になります。この操作を繰り返すことで回旋操作で膵臓実質を見失いにくくなります。

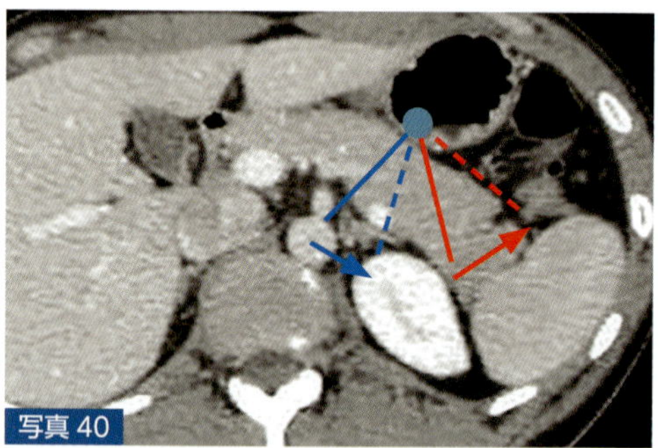
写真 40
CT 水平断

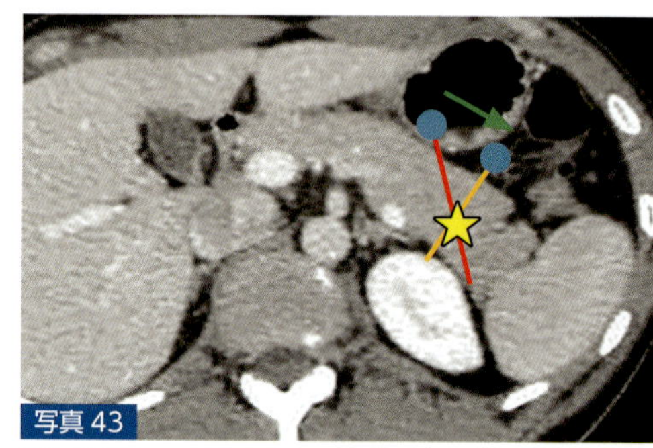
写真 43
CT 水平断

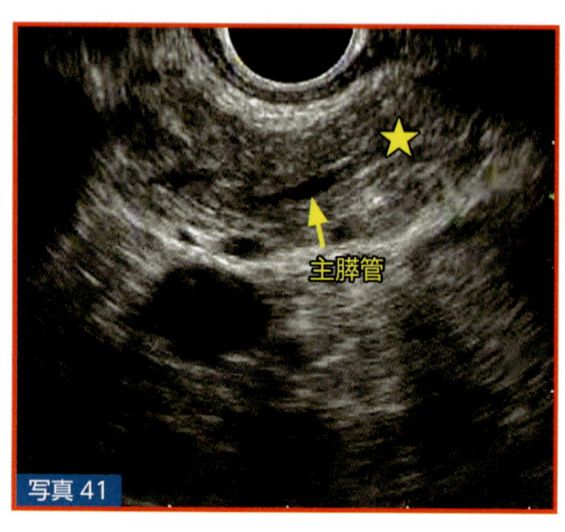

写真 41

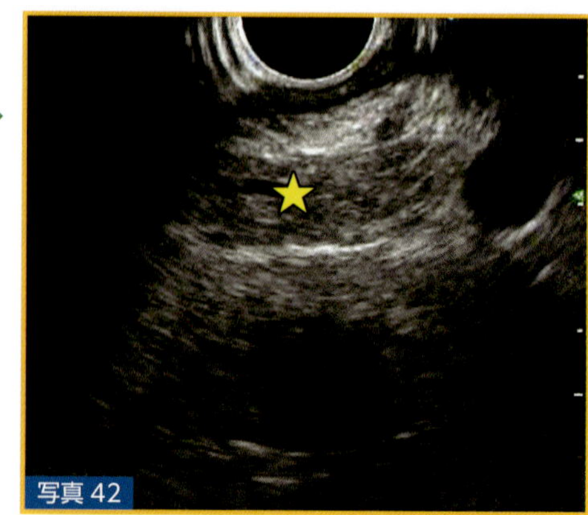
写真 42

Step 5-1 脾臓の観察

（時間：30 秒）

描出する臓器 脾臓

メルクマール 脾動脈，脾静脈，膵尾部末端

Point 腹水をチェックしましょう。

1 膵尾部が描出されたときに画面右下に描出されるのが脾臓です（**写真 44**）。膵尾部からさらに時計回りに回旋しつつ，アップアングルとスコープの PULL 操作で脾臓をプローブに近づけて描出していきましょう（**写真 45**）。

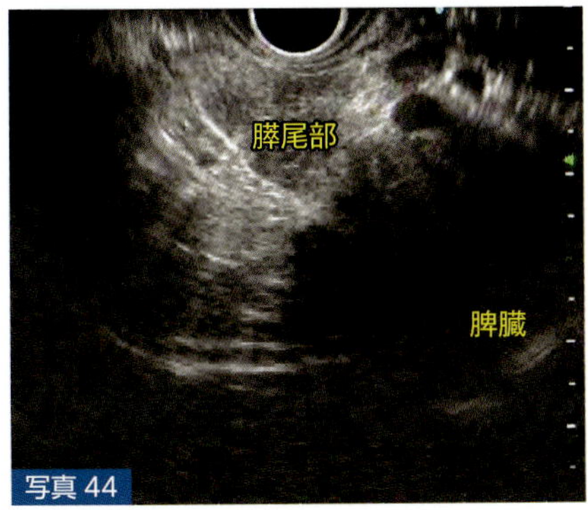

写真 44

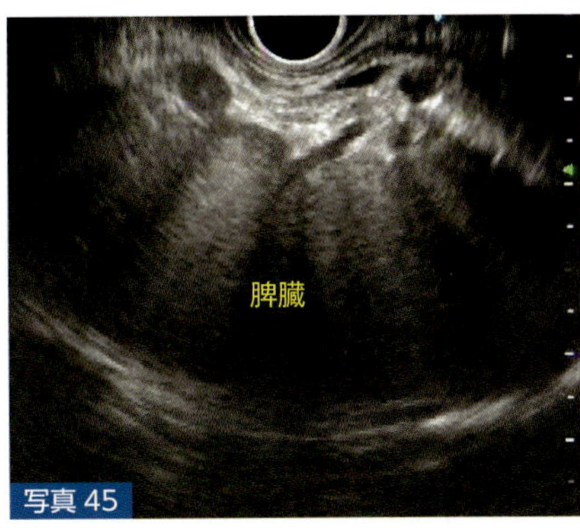

写真 45

このときに腹水の有無もチェックしましょう。左側臥位での検査なので微量腹水を確認できます（**写真 46**）。

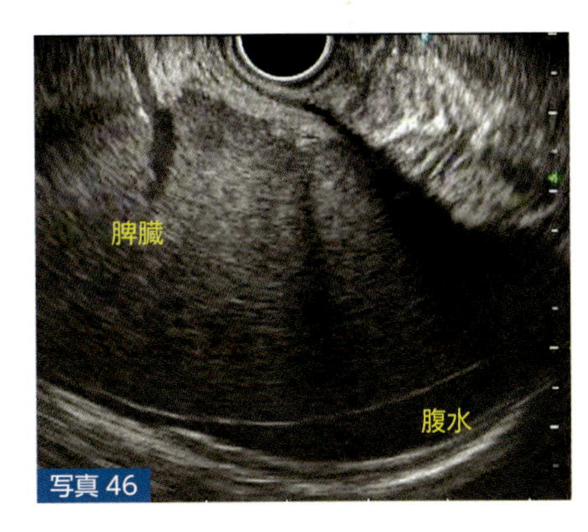

写真 46

Step 5-2 左副腎の観察

描出する臓器 左副腎

メルクマール 脾臓

Point 左副腎のある位置を考えて操作に生かしましょう。

1 脾臓を描出したあと（写真47），反時計回りに回旋すると左腎臓上縁が見えてきます（写真48）。その右側に左副腎が見えてきたら（写真48）スコープを少し引き抜き，左副腎を画面中央に描出します（写真49）。

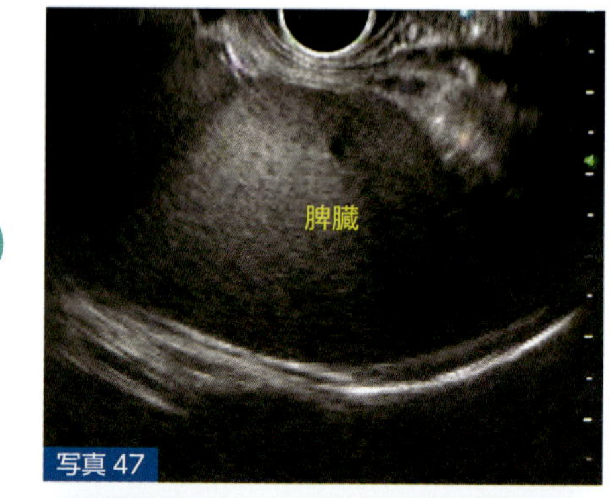

写真47

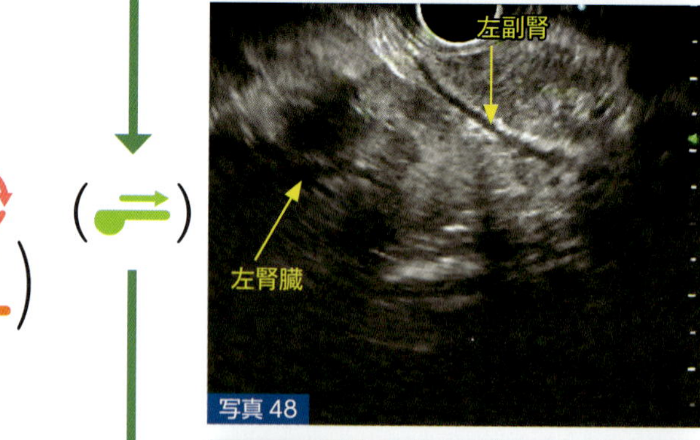

写真48

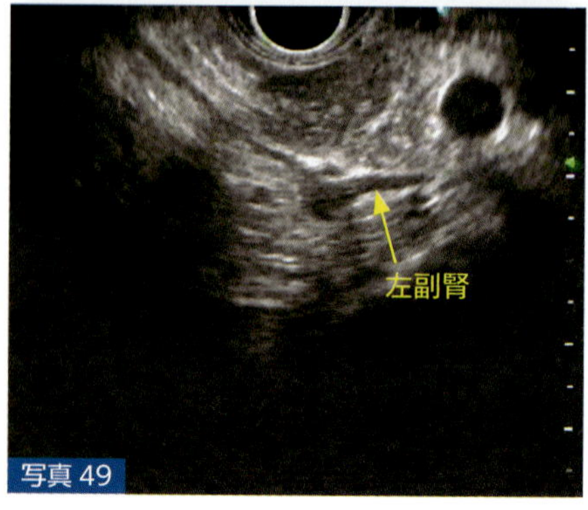

写真49

2 逆の動き（スコープを押して時計回り）で脾臓に戻れます（▪▪▪▪▶）。

トラブルシューティング
脾臓が描出できないとき

（時間：1分41秒）

● 方法1

12頁 Step3の「トラブルシューティング」参照。腹腔動脈から脾動脈を描出（写真50），もしくはコンフルエンスから脾静脈を描出し（写真51），時計回りに回旋させ，これらいずれかの脈管を脾門部まで追従すると，脾臓に到達します。

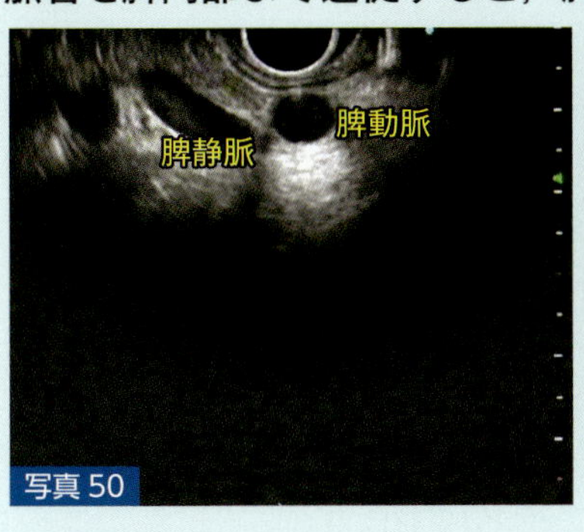

写真50

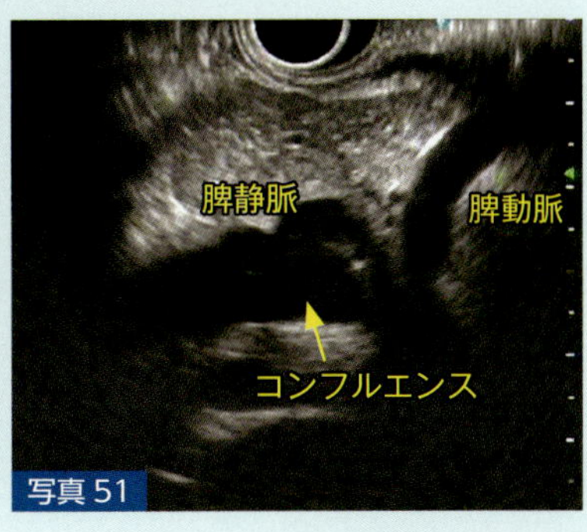

写真51

● 方法2

写真52のCT像で胃体上部と脾臓が隣接していることがわかります。よって胃体上部でスコープを回旋させると，脾臓が描出されることがあります。しかし，この操作は脈管や実質など，何かを追従して描出する操作ではなく，さらにスコープ先端が食道胃接合部に近い操作であるため，傷つけないように慎重な操作が必要です。

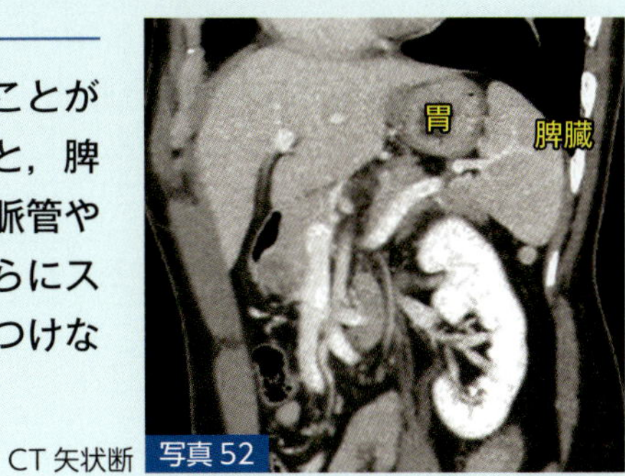

CT矢状断　写真52

奥義　左副腎描出の解剖的理解

左副腎の解剖学的位置から操作を考えましょう。

- 左副腎（写真53，黒矢印）は脾臓より右側に位置するため，脾臓を描出してから反時計回りに回旋します（写真53，赤矢印）。
- 左副腎（写真54，黒矢印）は腎臓より頭側に位置するため，PULL操作をします（写真54，赤矢印）。

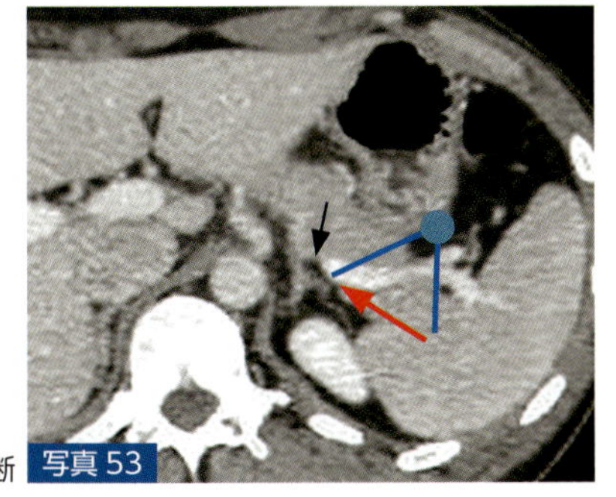
CT水平断　写真53

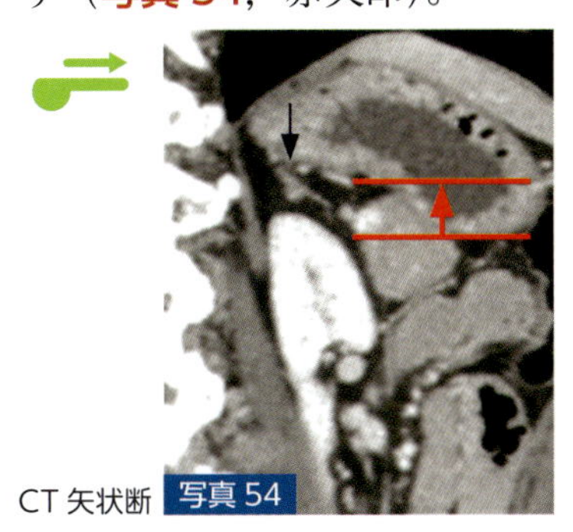
CT矢状断　写真54

Step 6　膵尾部から膵頭体移行部の観察

（時間：58 秒）

描出する臓器　膵尾部から膵頭体移行部まで

メルクマール　脾臓，コンフルエンス

Point　反時計回り，ダウンアングル，PUSH 操作をうまく組み合わせて膵臓を見失わないように描出していきましょう。
この描出も３つの操作が重なります。そのため，比較的難しいので最初はゆっくり操作していきましょう。

1　基本的には膵頭体移行部から膵尾部にいく動きと逆の動きをしていきましょう。

2　脾臓を描出した位置から反時計回りに回旋していくと，膵尾部末端が確認できます（写真 55）。

膵尾部末端では拡張した主膵管以外は描出しにくいこともあるので，その際には膵臓実質を追従します。

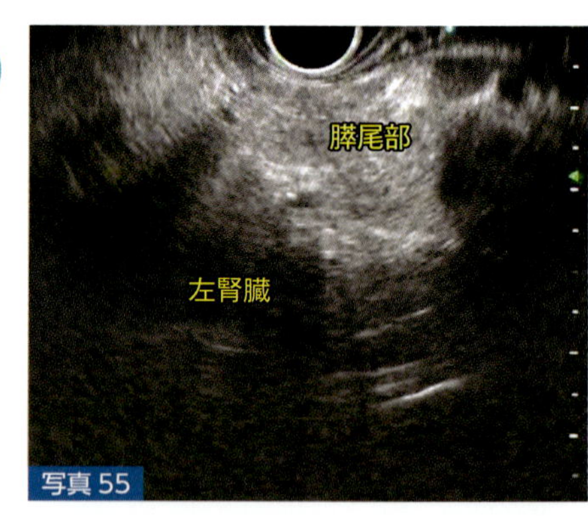

写真 55

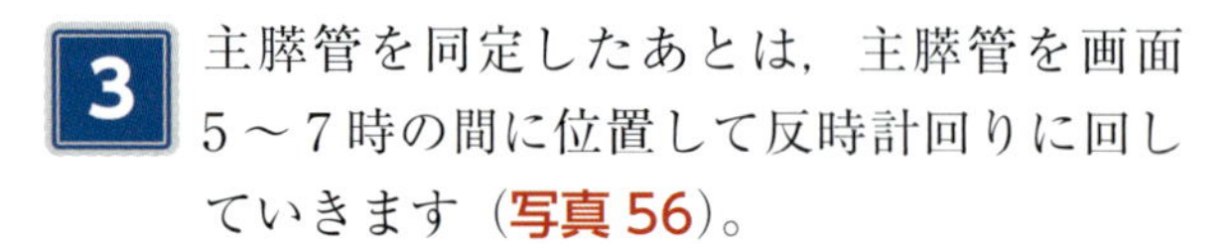

3　主膵管を同定したあとは，主膵管を画面５～７時の間に位置して反時計回りに回していきます（写真 56）。

膵臓実質または主膵管を画面５～７時に位置するために，スコープの PUSH 操作とダウンアングルを効果的に使っていきましょう。

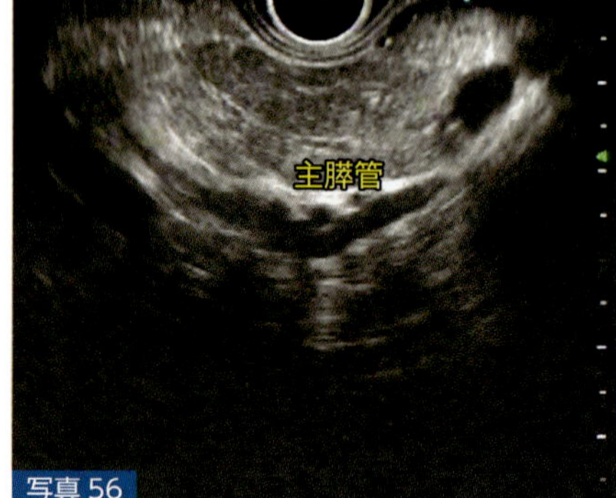

写真 56

4 膵頭体移行部の足側の縁付近とコンフルエンス付近の膵臓実質は見落としやすいところです（**写真 57** ◯の部分）。スコープの PUSH 操作や回旋操作でしっかり縁まで確認することが重要です*。

＊写真 57 の◯の位置を CT で俯瞰すると，写真 58 と 59 の位置になります。

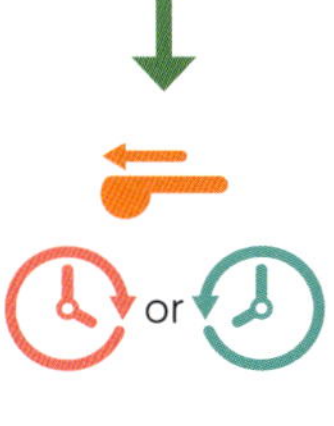

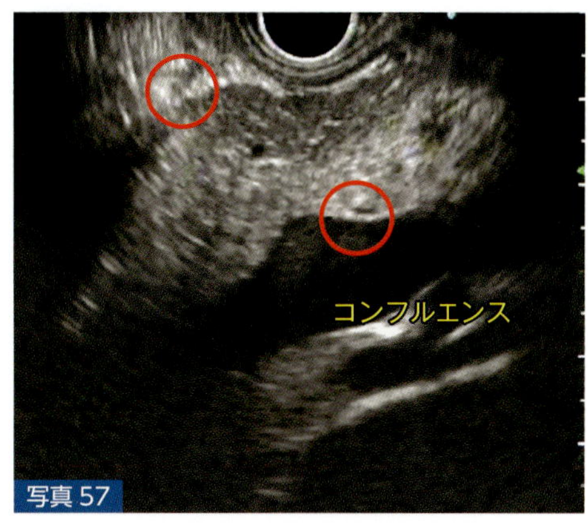

写真 57

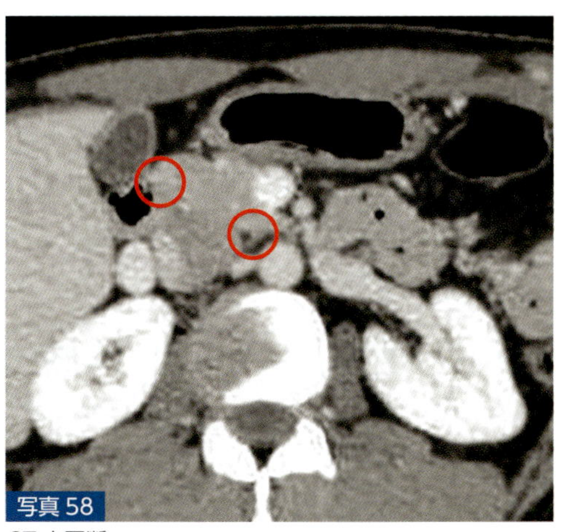
写真 58
CT 水平断

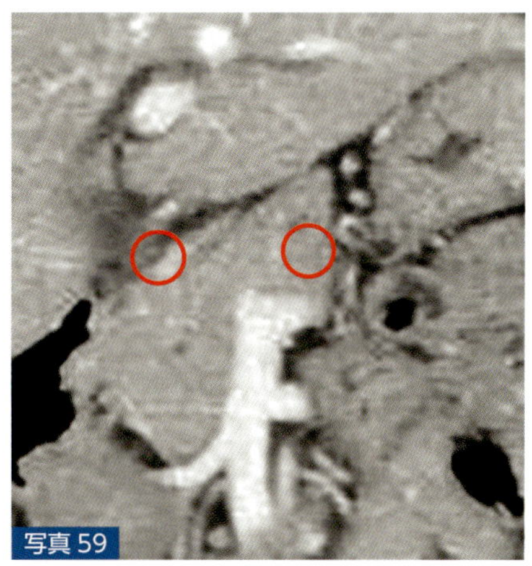
写真 59
CT 冠状断

Step 7 膵頭体移行部から膵頭部の観察

描出する臓器 膵頭体移行部から膵頭部，主膵管，総胆管

メルクマール コンフルエンス

Point 反時計回りから時計回りへの移行のタイミングを覚えましょう。この観察はすべての症例でできるわけではありません。しかし，胃術後症例などで役立つため，無理せずに描出できる症例（やせている症例など）で行いましょう。

1 膵頭体移行部（**写真 60**）から反時計回りに回旋していくと，主膵管が膵体部側と膵頭部側に分かれます（**写真 61**）。

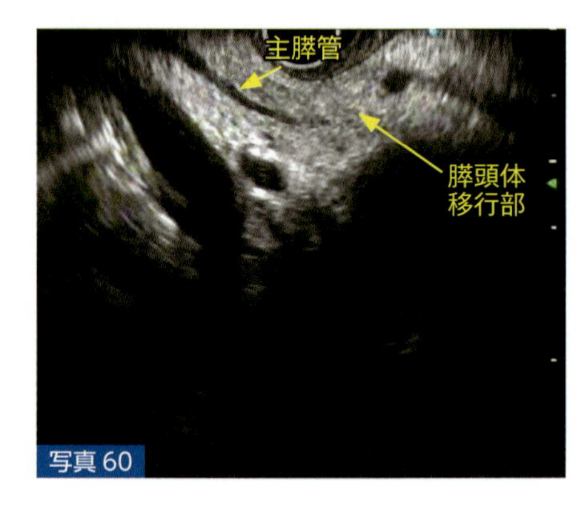

写真 60

2 膵頭部側の主膵管をアップアングルとスコープの PUSH 操作で画面の 5 ～ 7 時の間に位置するようにします（**写真 62**）。

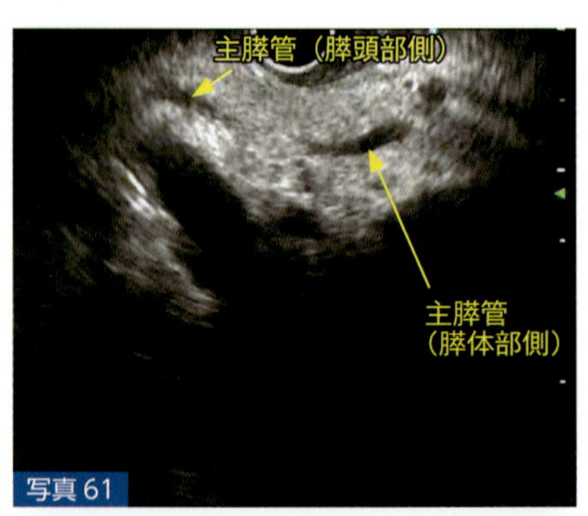

写真 61

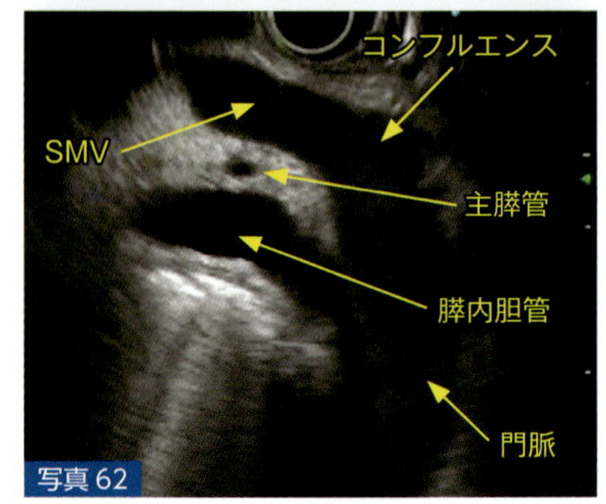

写真 62

3 アップアングルで膵頭部に近づき，時計回りの回旋とPUSH操作を加え，主膵管を追従していくと膵頭部が描出されます（**写真63**）。

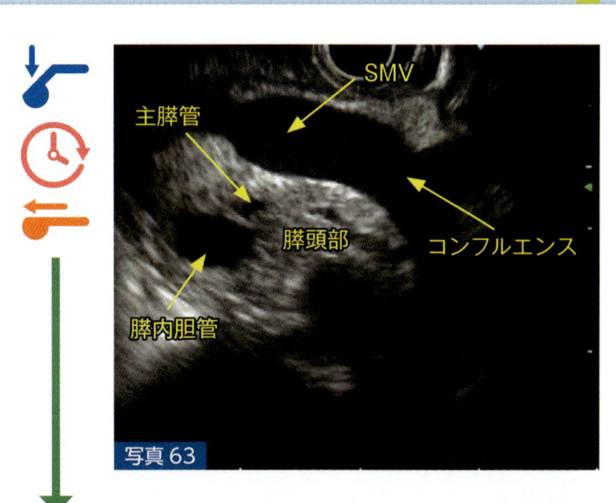

写真63

4 アップアングルと時計回りに回旋させながら，さらに少し足側にスコープをPUSH操作で進めていくと，膵内胆管と主膵管が近づき乳頭部付近（低エコー域）が描出されます（**写真64**）。

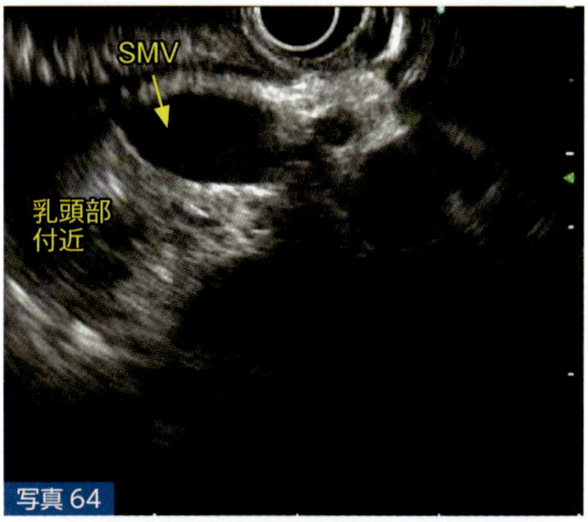

SMV
乳頭部付近

写真64

5 アップアングルは保ちつつ，そこから反時計回りの回旋とPULL操作で膵内胆管も観察します（**写真65**）。

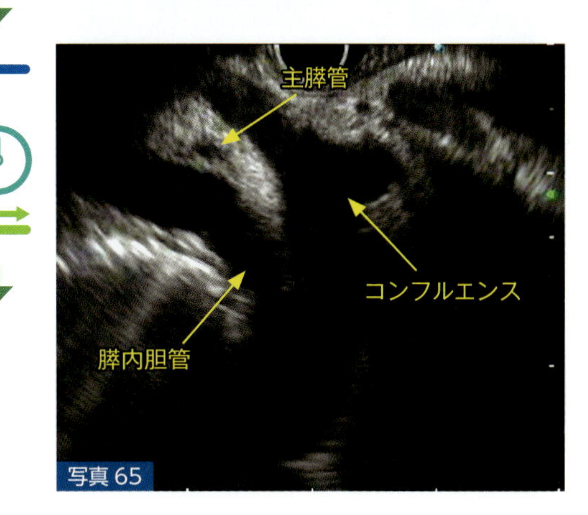

写真65

トラブルシューティング
膵頭部が描出できないとき

▶動画 14
（時間：47 秒）

まず，肝外門脈を描出しましょう（写真 66）（10 頁 Step3 5 参照）。次に門脈を足側にスコープの PUSH 操作で追従し，コンフルエンスを描出します。コンフルエンスを越え，上腸間膜静脈（SMV）まで描出していきます。このとき胃と膵頭部の間に距離があるため，操作はスコープの PUSH 操作に加えて，アップアングルが必要になります。SMV のプローブの遠位側に膵頭部が描出されます（写真 67，画面下側）。

コンフルエンスから門脈，および SMV の走行と膵頭部の位置関係を CT で観察すると，写真 68 のようになります。この CT からも胃，SMV および膵頭部の位置関係が EUS 像（写真 66，67）と同様であることがわかります。このことから，上記の方法の EUS 操作で膵頭部が描出されるのが理解しやすいと思います。痩せ型の症例は描出しやすくなります。

しかし，体形などで観察しにくい症例や脂肪が多く遠位側の観察困難な症例もありますが，膵頭部は十二指腸操作で観察できるので無理する必要はありません。

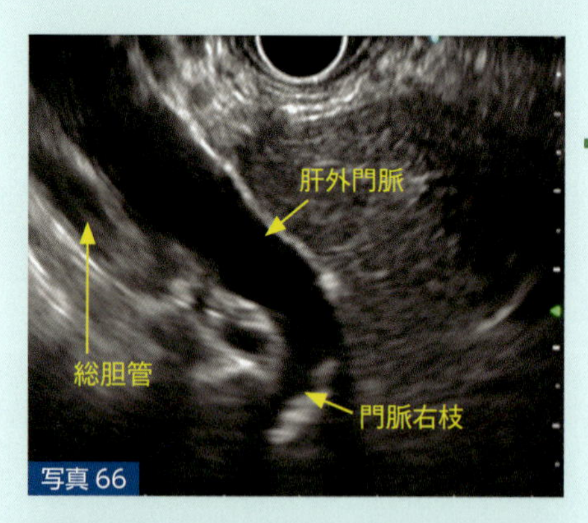

写真 66

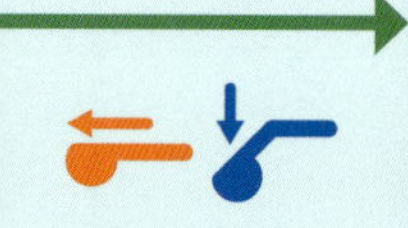

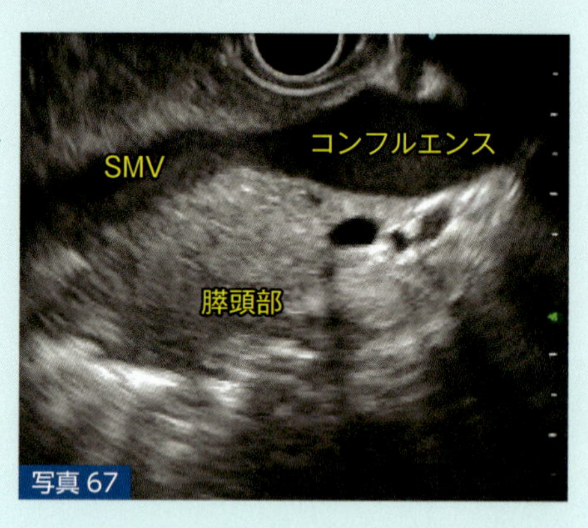

写真 67

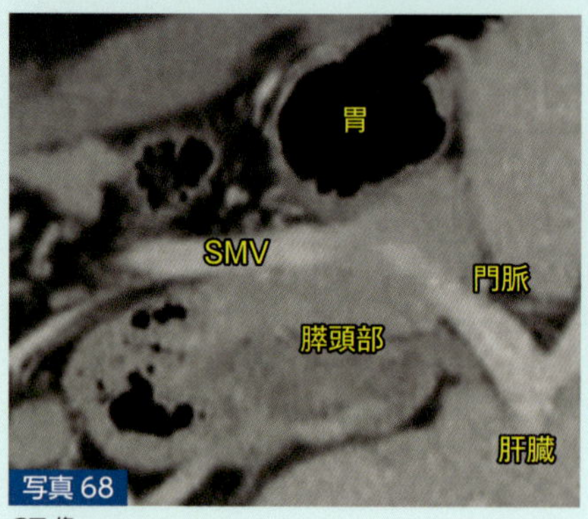

写真 68
CT 像

トラブルシューティング
膵体部から膵尾部，膵尾部から膵体部への描出ができないとき

胃内操作で膵体部を描出したところまではできた！

さあ膵尾部に向かって時計回りに回旋をして…あれ？　いくら回旋しても膵尾部，脾臓に到達しない！（14 頁 Step4 参照）

もしくは，脾臓，膵尾部から膵頭体移行部に向かうために反時計回り操作をして…あれ？反時計に回したはずなのにまた脾臓がでてきた…。（20 頁 Step6 参照）

膵体尾部を観察するときに，このようなトラブルを経験したことはないでしょうか？

このように膵体尾部の観察がうまくできない原因は，スコープが胃の分水嶺に引っかかり，胃穹窿部でスコープが巻いてしまっているからです。とくに瀑状胃気味のときに生じやすいです（図 9）。

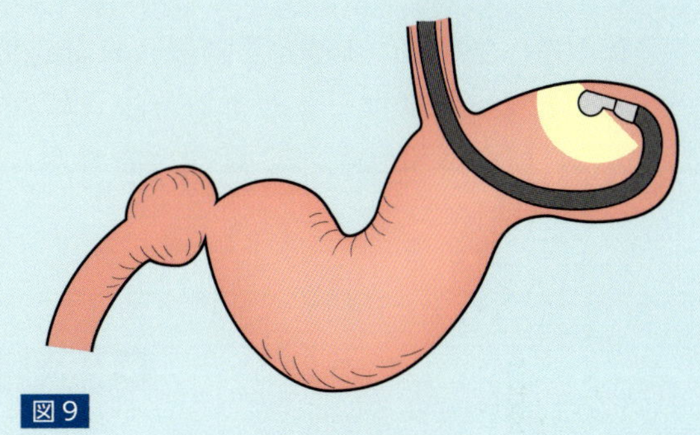

図 9

このようなときにはどうしましょう？

胃内操作（7 頁 Step2 3）のようにいったん前庭部まで挿入胃を伸ばしてから，再度膵体尾部の観察を行うことで通常は解決できます。

それでも解決しないときは，いったん D2 までスコープを挿入し（図 10a），そこからゆっくりした引き抜き操作で D2（図 10b）→ D1 →胃内（図 10c）の順で膵臓を観察していくと，膵頭部から膵尾部を観察できます。この方法では，スコープを十二指腸下行部からゆっくり引き抜いてくることでスコープが胃内で直線化されるので膵臓観察が容易になるのです（図 10b, c）。

困ったときにはぜひ，これらの方法を試してみてください。

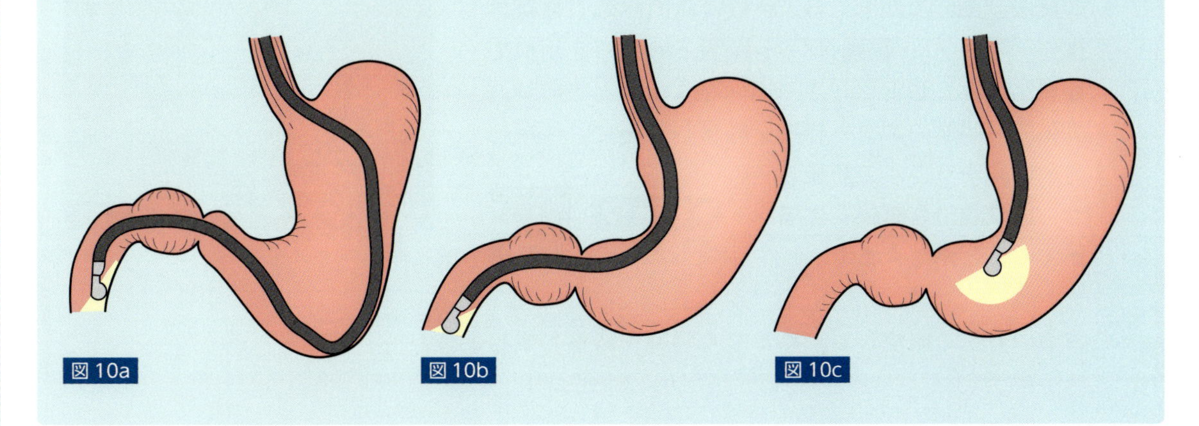

図 10a　図 10b　図 10c

奥義　膵臓が見えにくいとき

胃内操作での膵臓観察は慣れたでしょうか。

これは基本操作ではあるのですが，膵臓が加齢に伴って萎縮していたり，脂肪沈着の影響で高エコーであったりと，EUS での膵臓の見え方は個人差が大きいです。

萎縮していても膵頭部癌症例のように膵管拡張があればわかりやすいですが，そのような例は少なく萎縮した膵臓の観察は困ることがあります。

そのようなときに膵臓を同定するため，以下の 3 種類の方法を試してみてください。

1．胃内操作で膵臓の両端から深部への shadow が生じることをメルクマールとする方法（**写真 69・動画 15**）。(14 頁 Step4，20 頁 Step6 参照)

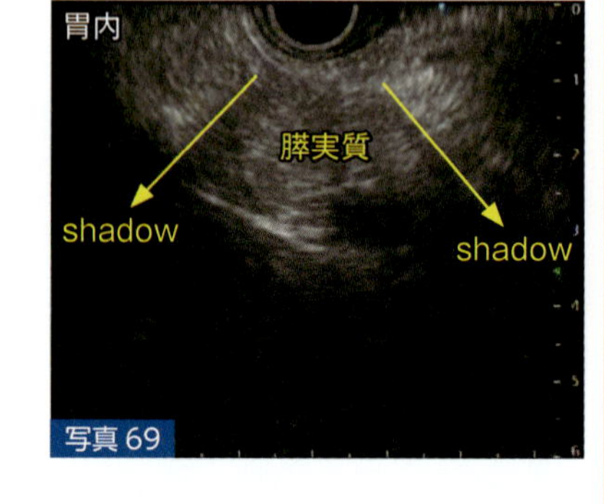

写真 69

2．胃内操作で脾動脈，脾静脈の左側に膵臓が位置することが多いことを意識し，これらをメルクマールとして観察する方法（**写真 70・動画 16**）。(14 頁 Step4，20 頁 Step6 参照)

写真 70

3．胃内操作で描出がうまくできないときは，一度，D2 まで挿入し，膵頭部を描出してみましょう。その後，膵臓を認識しながら，D2 からの胃内への引き抜き操作（**写真 71・動画 17**）(47 頁 Step3)を用いて観察してみましょう。この操作をすることで超音波画像での膵臓のエコー輝度を認識した後に，体尾部方向に向かうことで認識しづらい膵臓でも連続的に描出することができます。

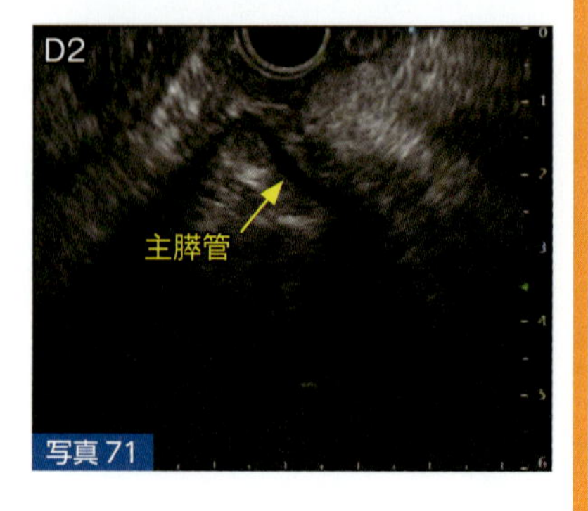

写真 71

これらの方法を駆使して，くまなく膵臓を観察しましょう。

第2章 十二指腸球部（D1）操作

Step 1 胃から十二指腸球部への挿入

(時間：23 秒)

Point 十二指腸球部にスコープを挿入する際は，スコープの先端の位置を意識しながら挿入することが重要です。

1 内視鏡先端は画面より下側（青丸）にあります（**写真 1，図 1**）。幽門輪に向かって少しアップアングルをかけながら押し込んでいき，幽門輪を越えたところ（**写真 2，図 2**）でダウンアングルをかけて幽門輪から十二指腸球部（**写真 3**）に入ると挿入しやすくなります。

球部にスコープ先端が入ったら（**写真 3**），超音波画像に切り替えましょう（**写真 4**）。

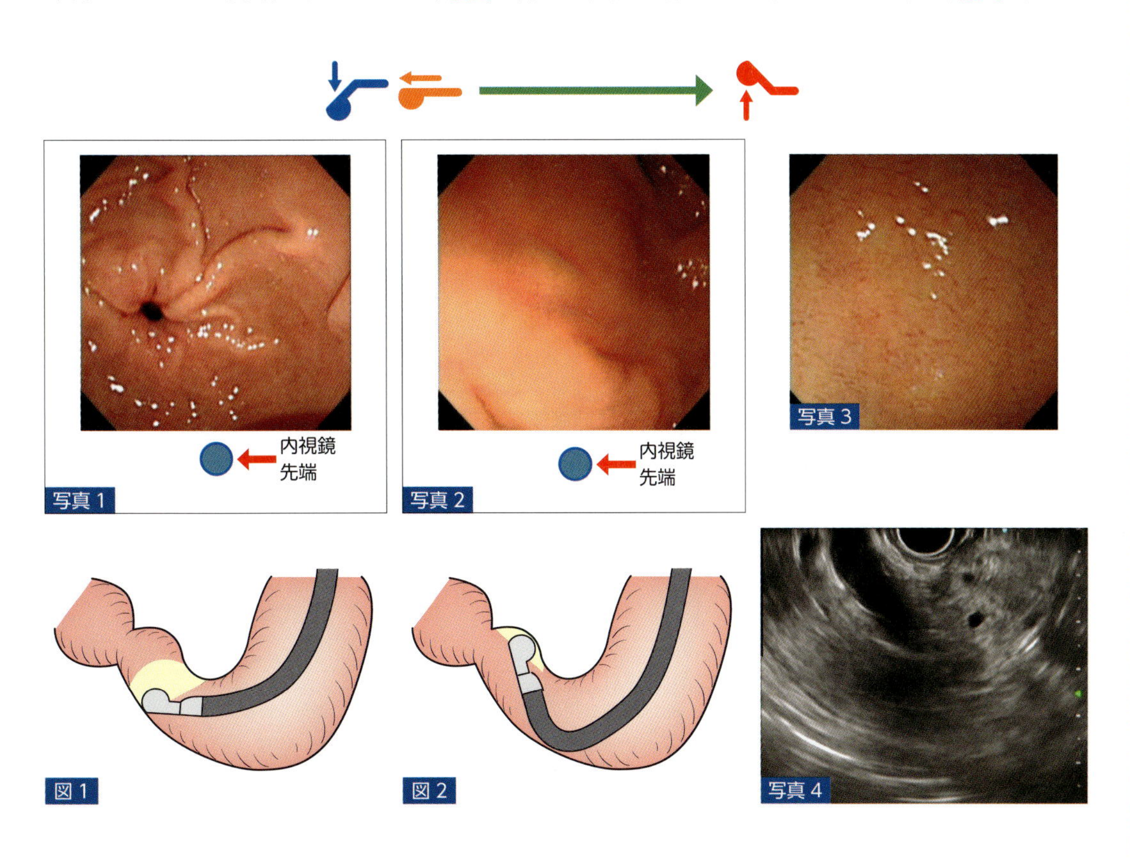

写真 1　写真 2　写真 3　図 1　図 2　写真 4

トラブルシューティング
十二指腸球部にスコープが挿入しづらいとき

（時間：25 秒）

潰瘍瘢痕や胃のねじれで幽門輪とスコープ先端の軸が一致しづらく，球部に挿入が難しい場合があります。その際は画面に見える程度にバルーンをふくらませます（写真 5）。極力スコープ先端を幽門輪に当てた状態でバルーンの空気を抜いていくと軸が徐々に合っていき，球部に挿入できます（写真 6）。

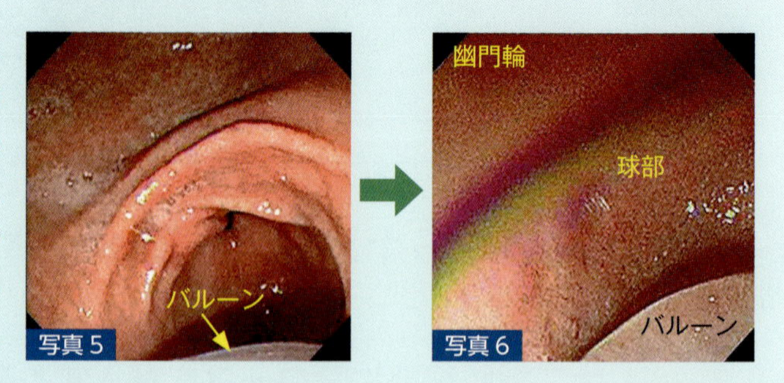

奥義　D1 観察時のスコープの形とプローブの向き

安定した十二指腸球部での描出のためには，まずはスコープの形，プローブの向きを意識することが重要になります。コンフルエンス描出時の基本形と肝門部観察時のスコープの形およびプローブの向きを図と CT 像で示します。

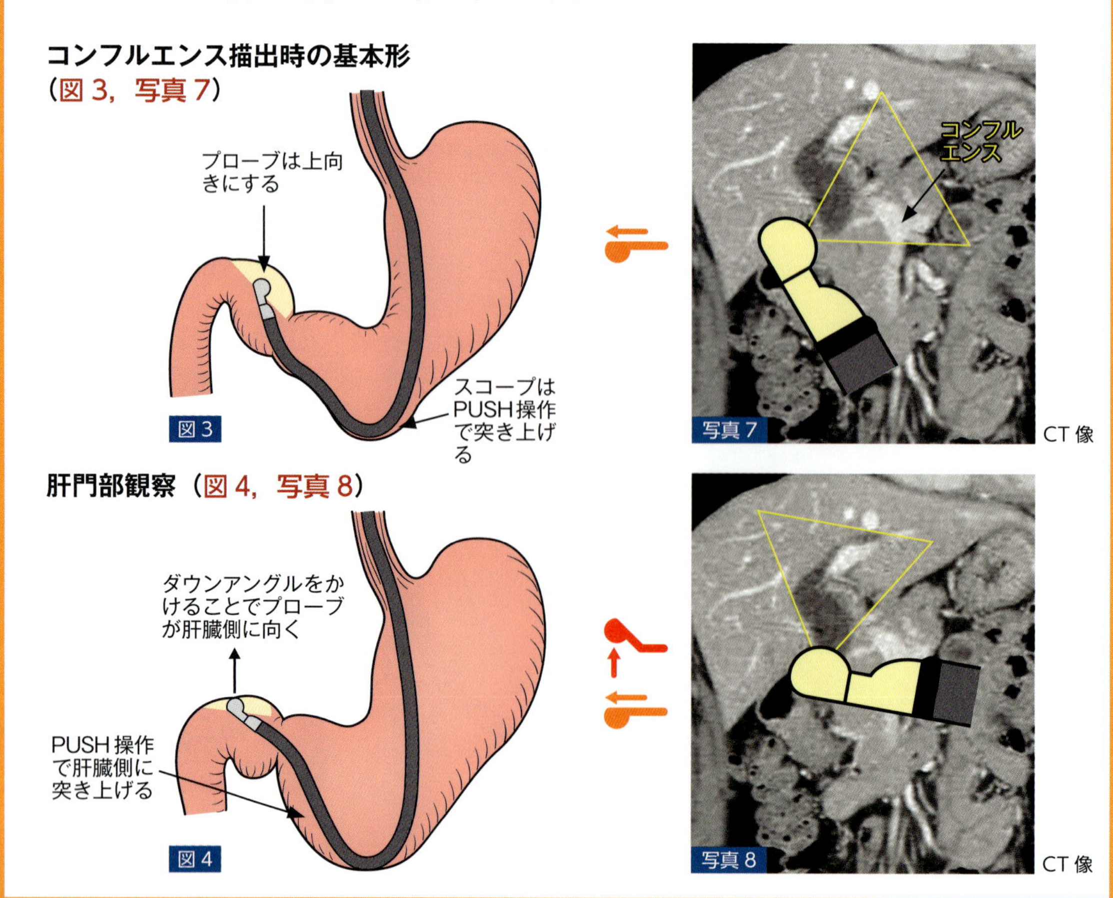

Step 2 膵頭体移行部～膵頭部～総胆管までの観察

(時間：1分11秒)

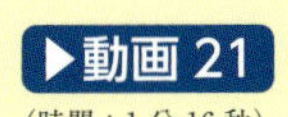
(時間：1分16秒)

描出する臓器 膵頭部，膵頭体移行部，主膵管，総胆管

メルクマール コンフルエンス

Point D1は潰瘍などでの変形，球部の長短，スコープがD2に落ちやすいなど，個人差が大きいため，やみくもにスコープを動かすのではなく，まずメルクマールであるコンフルエンスの描出法を覚えましょう。そしてそこから操作方法を覚えていきましょう。プローブの方向で主膵管，総胆管の描出のされ方が異なることを理解しましょう。

1 球部挿入後軽いエア吸引を行うと，プローブが球部上壁に当たります。ここでEUS画像に切り替えると，重要なメルクマールであるコンフルエンス近傍の主膵管が画面上に描出されます（**写真9**）。しかし，このメルクマールを描出することが重要であると同時に，難しいことが多いです（描出できない場合は34頁「トラブルシューティング」参照）。**写真9**に示されたコンフルエンスと主膵管の位置関係を，**写真10**のCT画像（冠状断）で俯瞰すると，EUSで十二指腸球部上壁からコンフルエンスと膵臓を描出できることが理解できます。

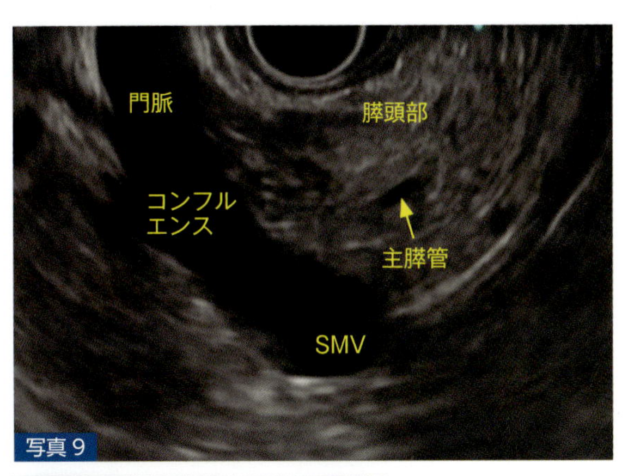

写真9

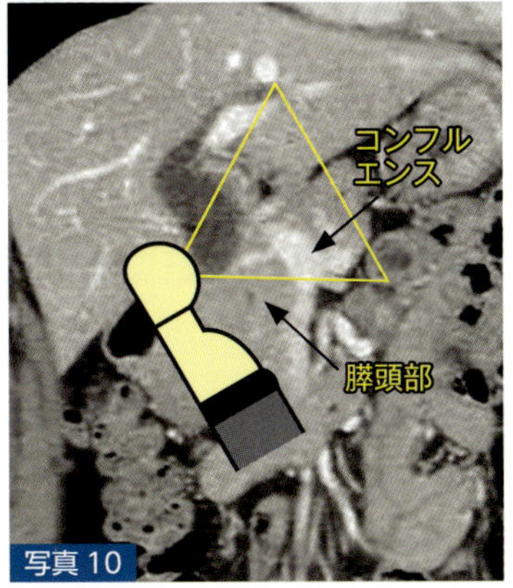

写真10
CT冠状断

2 次に，このメルクマールであるコンフルエンスから主膵管を画面5～7時の間に位置させ，反時計回りに回旋すると膵体部側に追従できます（**写真11**）。

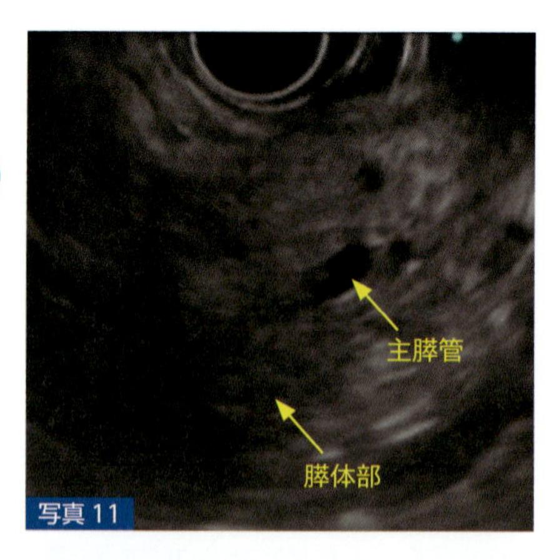

写真11

3 一方，コンフルエンスを基点として，時計回りに回旋すると，膵頭部側へ追従できます。この操作を用いて膵頭部実質，主膵管，総胆管を観察します。

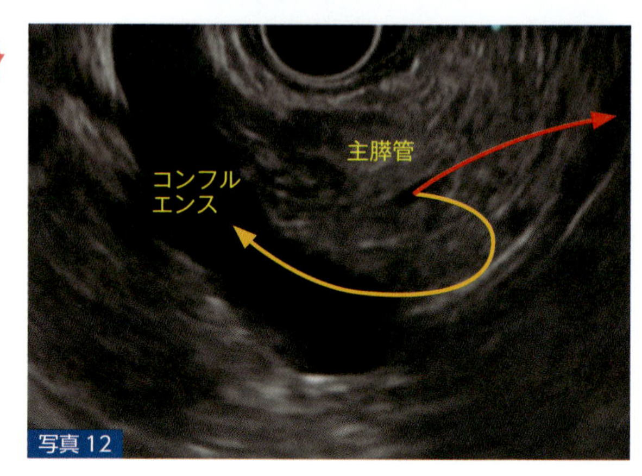

写真12

3の場合，主膵管が画面左下方向に向かう場合（——）と画面右方向に向かう場合（——）の2パターンが生じます（**写真12**）。

この時点でどちらのパターンで描出されるかを十分把握して次に進みます。

この2パターンを理解することが達人になる道！

—— のパターンの場合→ **4**（31頁）に進む ▶動画20

—— のパターンの場合→ **5**（33頁）に進む ▶動画21

4 ―― の場合は，コンフルエンス（**写真 13**）からスタートします。時計回りに回旋して主膵管を追従していくと，乳頭部近傍では短軸の総胆管，主膵管が同一面で描出されやすくなります（**写真 14**）。

この描出の際は，プローブ先端が球部から下行部に落ちかけている状態の操作になります（**写真 15**）。スコープを時計回りに回旋させながら主膵管を追従して描出していくと，スコープ先端は頭側から足側へねじれるように下行部に落ち込みます。そのため，最終的にスコープ先端に向かう方向に膵管が進むように見えます。この際も胆管は膵管のプローブ近位側（画面上側：**写真 14**）に描出されます。

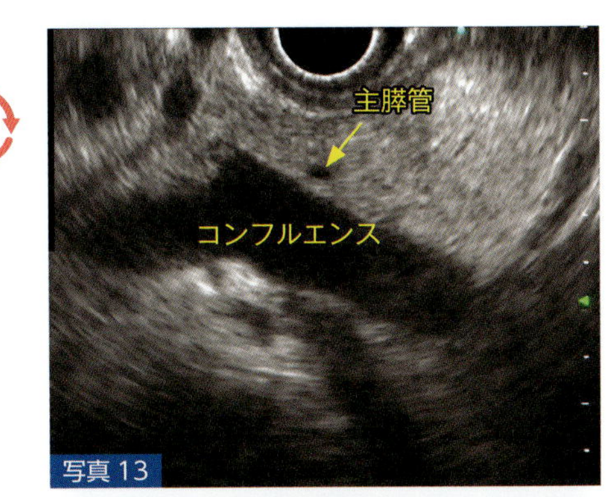

写真 13

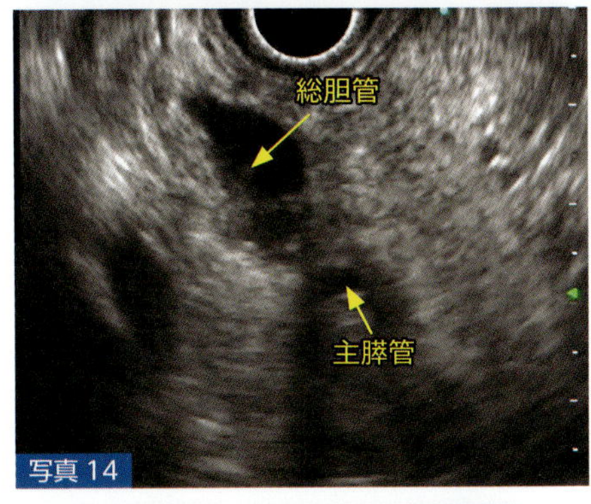

写真 14

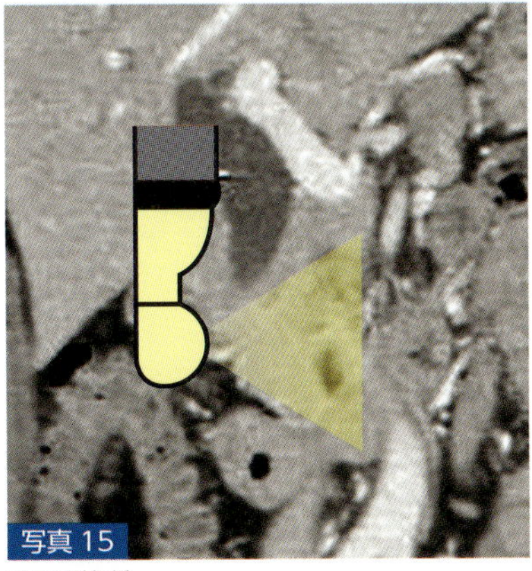
写真 15
CT 冠状断

次に総胆管を肝門部方向に追従します。乳頭部付近で描出された総胆管をPUSHやPULL操作で画面5～7時の間に位置するように調整し，反時計回りに回旋します。この際に，総胆管は短軸に描出されていることが多いです（写真16）。反時計回りに追従し，長軸に描出されたら（写真17）ダウンアングルとPUSH操作で肝門部方向へ総胆管を追従し，観察します（写真18）。

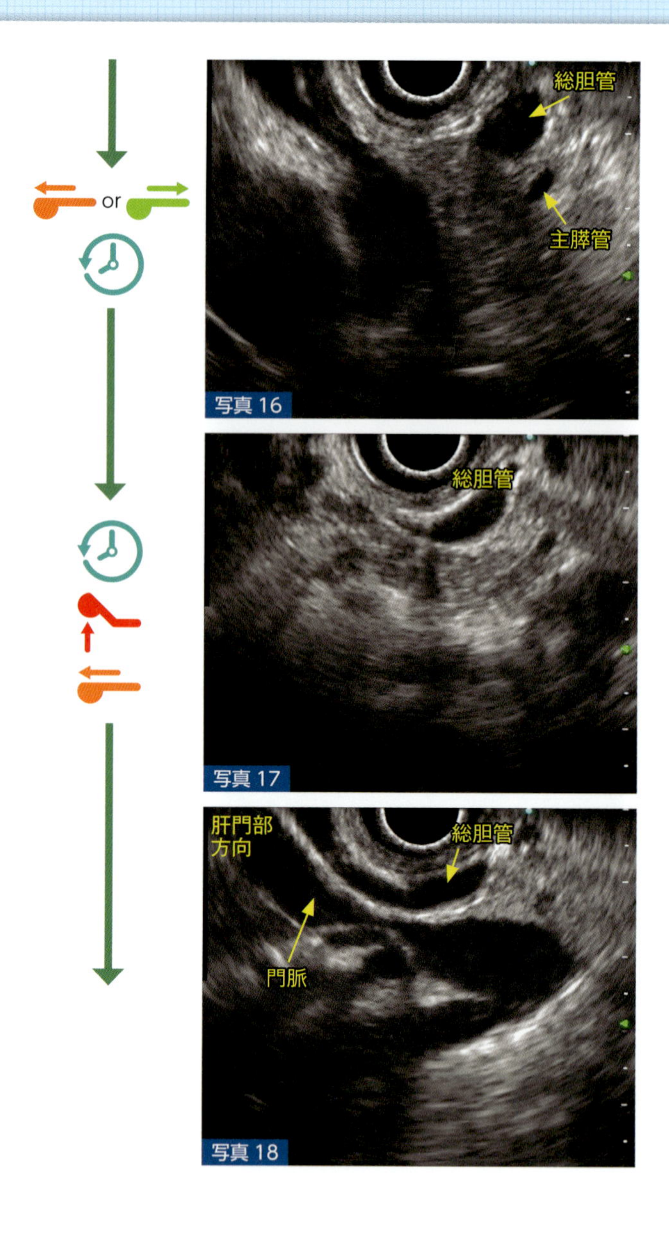

5 ―― の場合も，コンフルエンス（写真 19）からスタートします。時計回りに回旋して主膵管を追従していくと，長軸の総胆管と主膵管が並走して描出されます（写真 20）。総胆管と主膵管が同一面に描出されないときは，主膵管を乳頭部付近まで描出したのち，さらに時計回りに回旋していくと総胆管が描出されてきます。この際は，総胆管と主膵管をそれぞれ観察することになります。

次に総胆管を肝門部方向に追従します。ダウンアングルと PUSH 操作（軽く反時計回りも加えます）で肝門部方向へ総胆管を追従し，観察します。
この際，総胆管は長軸に描出されていることが多いです（写真 21）。

この描出の際は，スコープ先端が十二指腸球部で頭側を向いたままでの操作になります（写真 22）。そのため，時計回りに回旋し主膵管を膵頭部に追従する際，主膵管がスコープの根元方向（画面の右方向）に進むように見えます。ここでも総胆管より主膵管がやや遠位側（画面下側）になります（写真 20）。肝門部方向はスコープの先端方向（画面の左方向）になります（写真 21）。

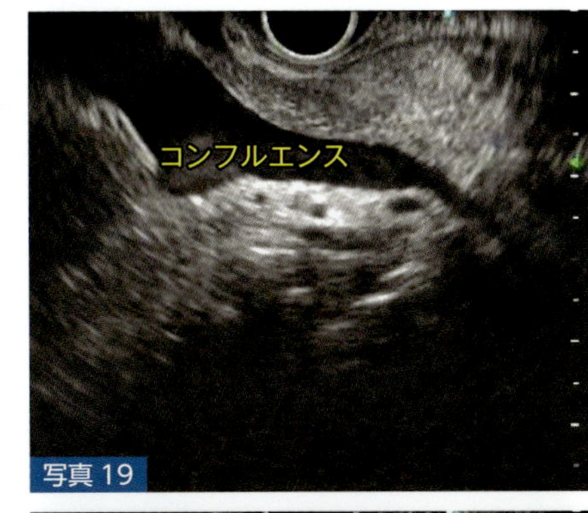

写真 19

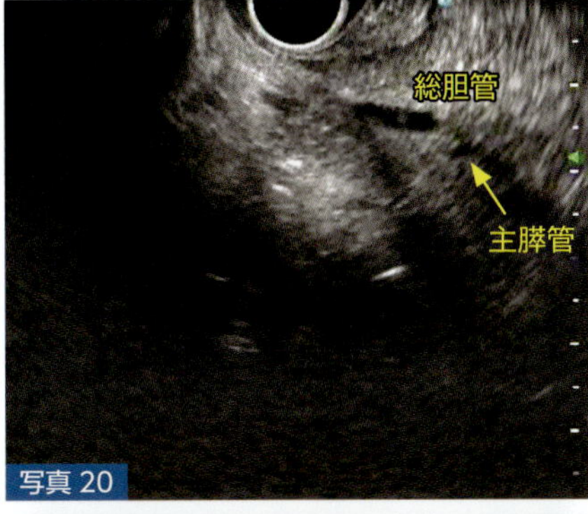

写真 20

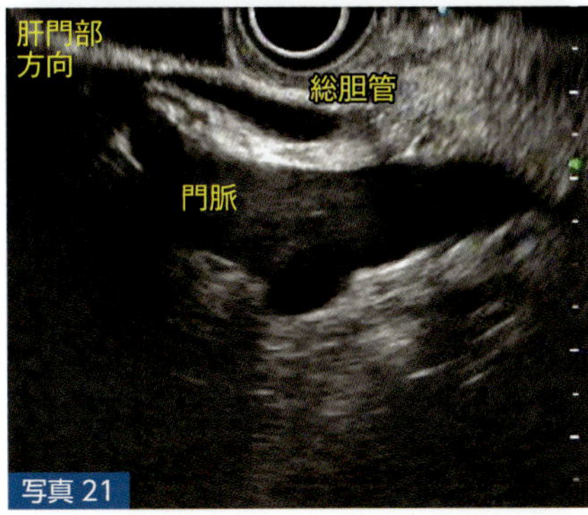

写真 21

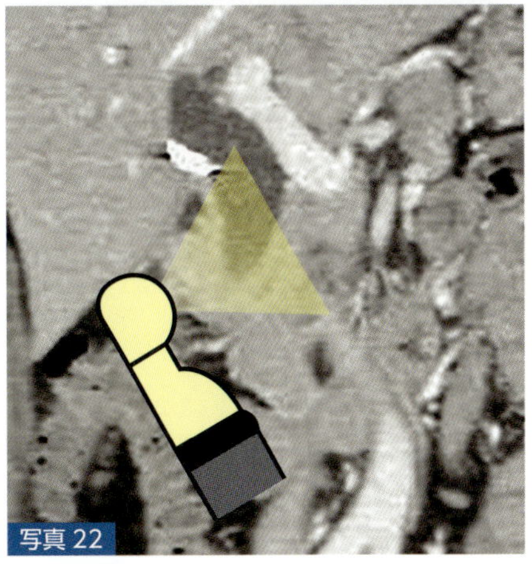
写真 22
CT 冠状断

トラブルシューティング

コンフルエンスが描出できない…大きな臓器２つを使う！

● 胆嚢ルート

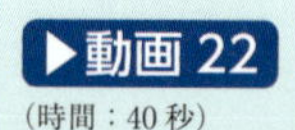

1 D1 挿入後，反時計回りに軽く回旋して十二指腸球部前壁にプローブを当てると胆嚢が描出されます（写真 23）。

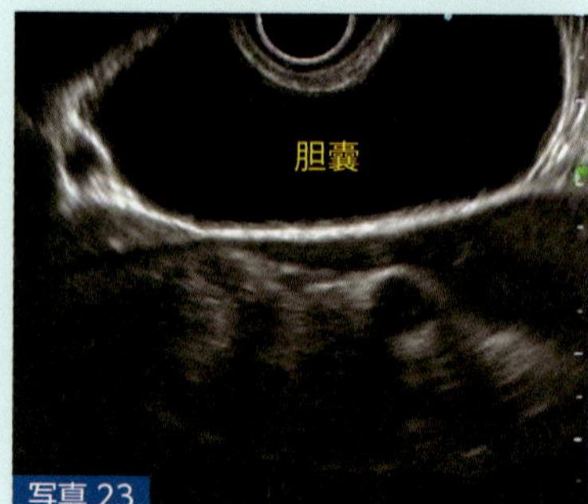

写真 23

2 胆嚢頸部を PUSH 操作と時計回りの回旋操作で描出し，胆嚢管を同定します（写真 24）。胆嚢管を時計回りに追従することで総胆管を描出します（写真 25）。

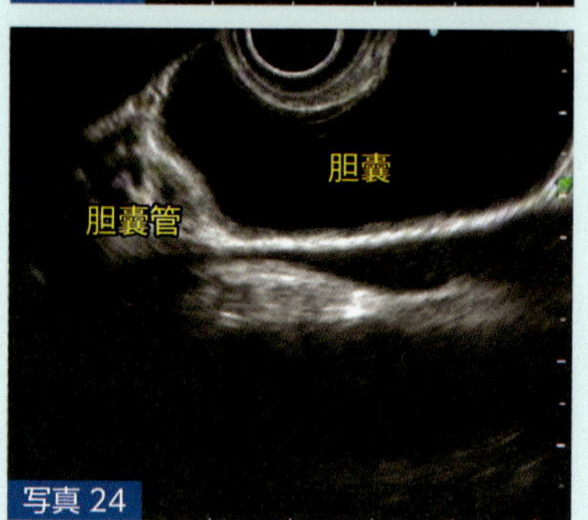

写真 24

3 総胆管の遠位側に描出されている門脈（写真 25）を PULL 操作にて足側に追従すると，コンフルエンスが描出されてきます（写真 26）。

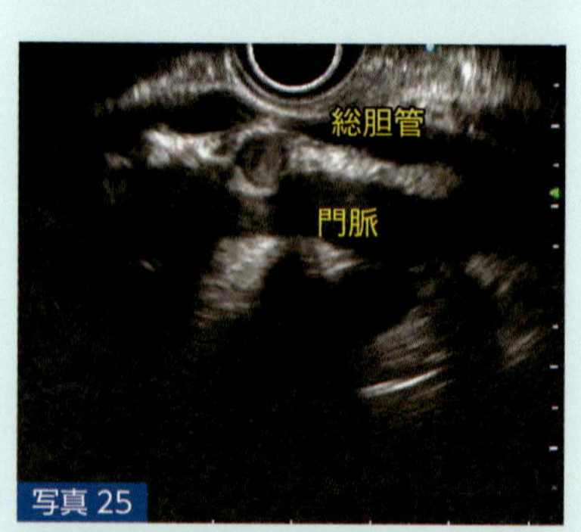

写真 25

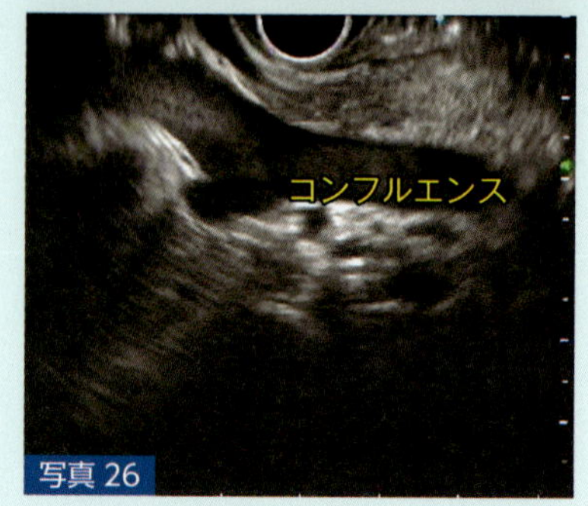

写真 26

● 肝臓ルート

（時間：55 秒）

1 D1 挿入後，ダウンアングルと PUSH 操作にて肝臓を描出します。肝内門脈を同定します（写真 27）。

2 ダウンアングルに PUSH 操作と時計回りの回旋を加え，門脈を追従し，門脈臍部を同定します（写真 28）。

3 門脈臍部をさらに時計回りに回旋しながら追従し，肝外門脈を描出します（写真 29）。

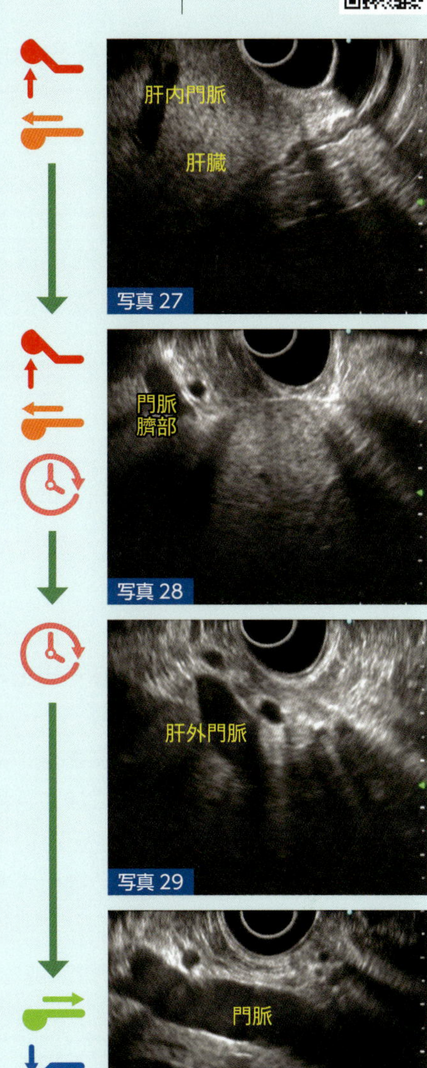

写真 27
写真 28
写真 29

4 肝外門脈を PULL 操作とアップアングルを加えながら足側に追従すると（写真 30）コンフルエンスが描出されてきます（写真 31）。

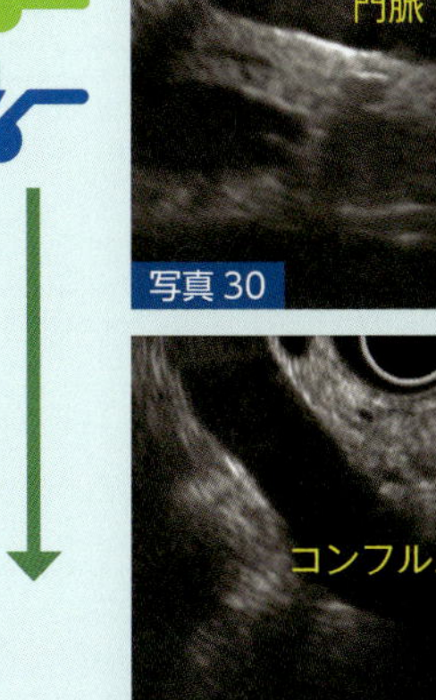

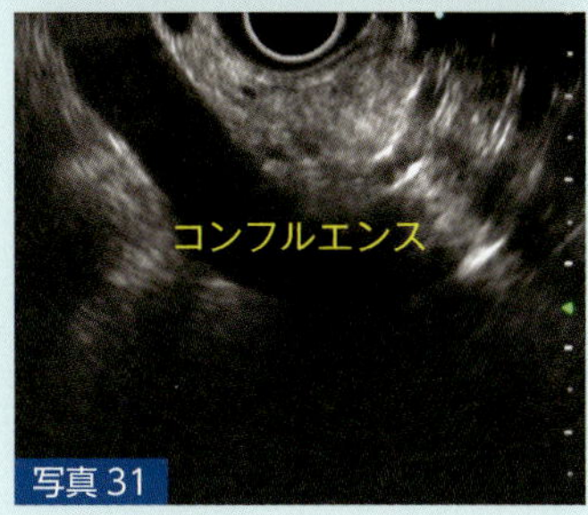

写真 30
写真 31

トラブルシューティング
総胆管が描出できないとき

（時間：30 秒）

1 コンフルエンス（29 頁 Step2 **1**，34 頁「トラブルシューティング」参照）を描出します。

2 コンフルエンス（写真 32）からダウンアングルと PUSH 操作で門脈を肝側に追従します（写真 33）。

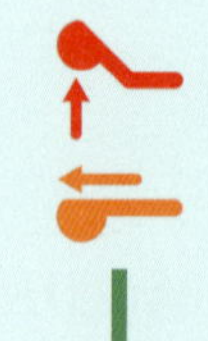

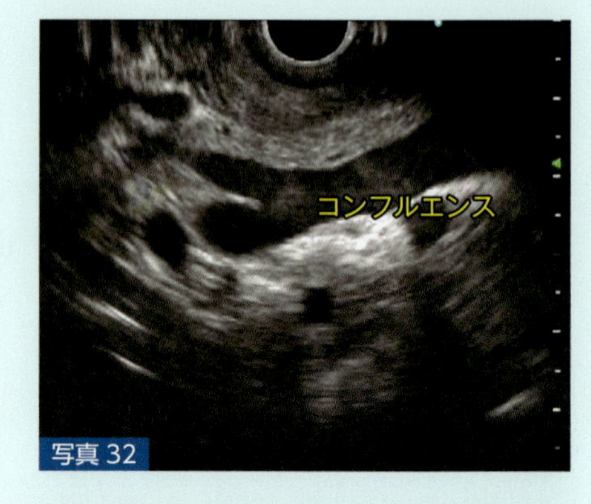

写真 32

3 門脈を描出した際に，プローブの近位側に総胆管が必ず描出されてきます（写真 33）。
さらに胆管を押しつぶさないようにダウンアングルに加え，回旋操作，PUSH 操作を用いると，総胆管がきれいに描出されます（写真 34）。

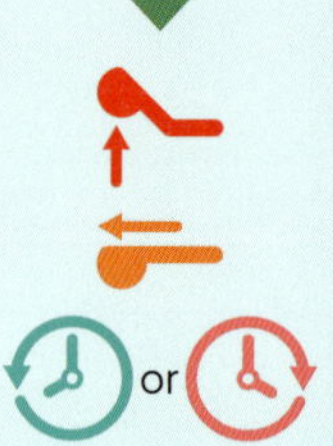

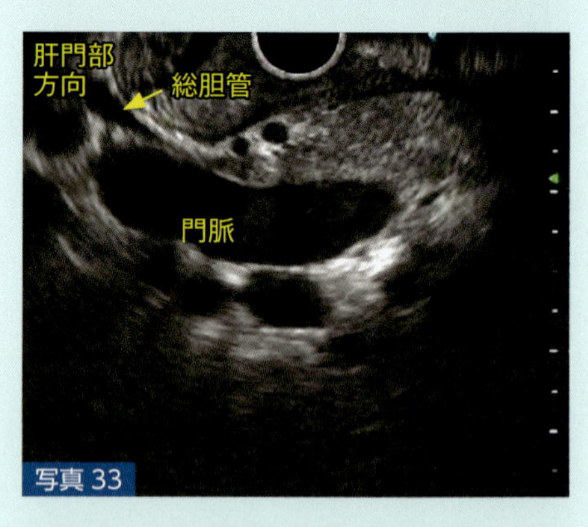

写真 33

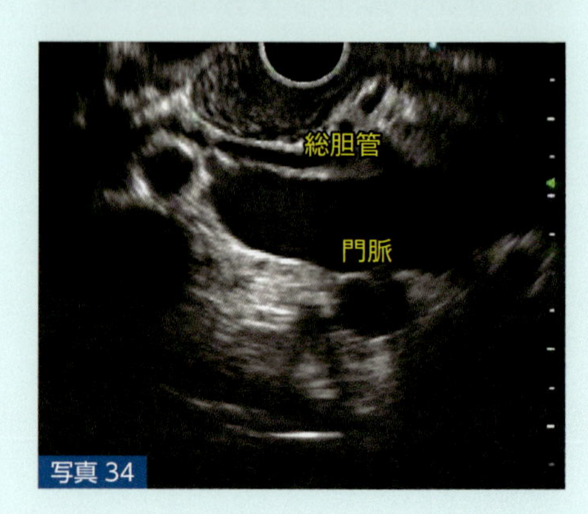

写真 34

Step 3 胆嚢の観察

（時間：59 秒）

描出する臓器 胆嚢

メルクマール 肝外門脈，総胆管

Point 胆嚢管をゆっくり追従し，胆嚢を描出しましょう。胆嚢は可能なかぎり底部まで観察を心がけましょう。

1 総胆管を反時計回り，ダウンアングルおよび PUSH 操作で乳頭部から肝門側へ追従します（29 頁 Step2 参照）。その際に総胆管にらせん状の細い管が流入するのが観察されます。これが胆嚢管です（**写真 35**）。

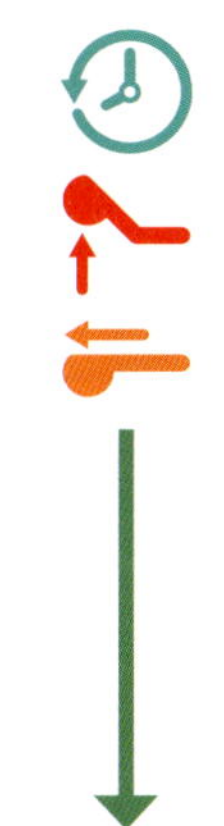

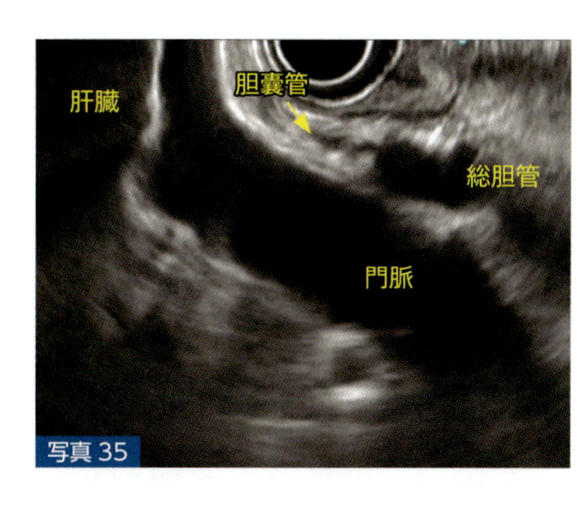

写真 35

2 胆嚢管を PUSH や PULL 操作で画面の 5 ～ 7 時の間に調整し（**写真 36**），反時計回りに回旋しながら追従していくと胆嚢頸部が描出されます（**写真 37**）。

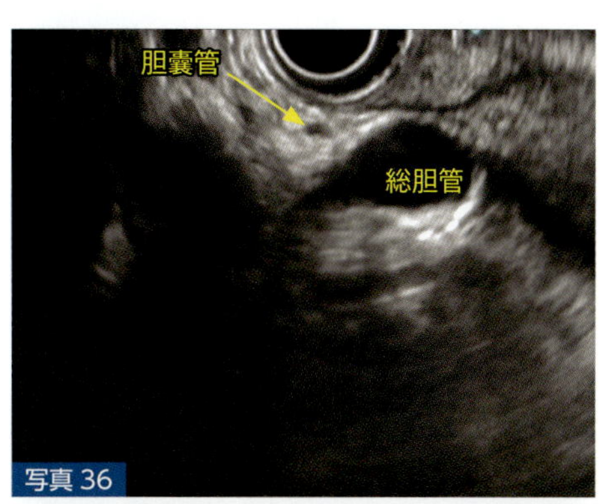

写真 36

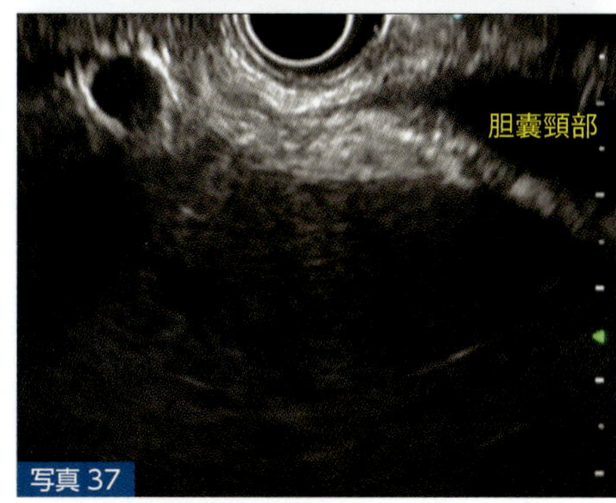

写真 37

3 次に胆嚢底部まで観察します。まず，PUSHやPULL操作，ダウンアングルを用いて胆嚢を画面右上に位置させます。そこでスコープのPULL操作をしながら，反時計回り，ならびにアップアングルを併用して胆嚢を画面右上に保持し，胆嚢頸部～体部（写真38）～底部（写真39）の順で描出していきます。

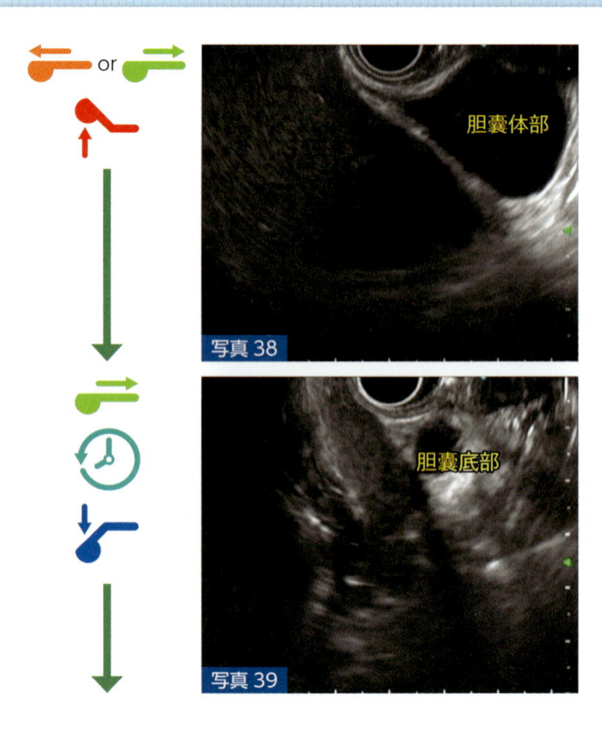

写真38
写真39

トラブルシューティング
胆嚢管・胆嚢の描出が不十分なとき

● 胆嚢管の描出

37頁Step3 2のスコープ操作は多くは反時計回りですが，胆嚢管の走行，胆嚢の位置によって操作が異なる場合もあります。そのため，反時計回りだけでなく時計回りも含めた回旋操作を使い追従することも必要です。

● 胆嚢の観察

（時間：40秒）

画面左上に胆嚢頸部が描出されるときは，PUSH操作とダウンアングルで胆嚢頸部を画面右上に位置させるのが理想ですが，できないときもあります。その際は画面左上に胆嚢を位置したまま，PUSH操作，ダウンアングルならびに反時計回りで胆嚢全体の観察をします（写真40, 41）。しかし，胆嚢底部までの観察は困難な場合があることを知っておきましょう。

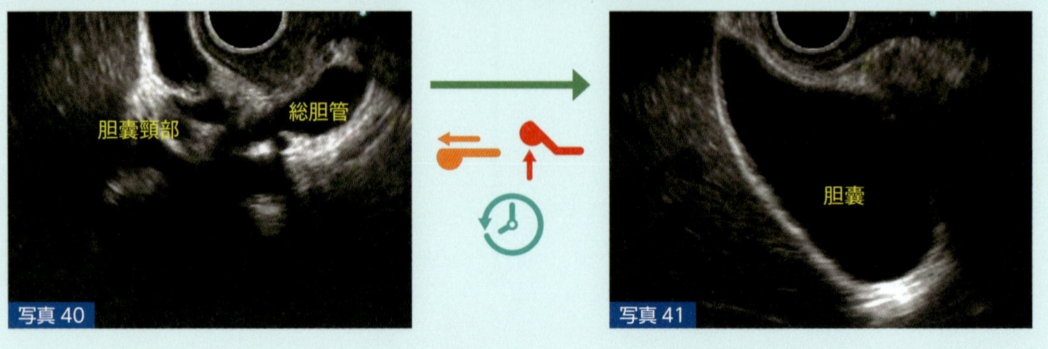

写真40
写真41

奥義　胃内から胆嚢描出

胃内から描出される胆嚢は十二指腸球部からの描出とは角度が違うため，胃内，十二指腸球部両方から描出することにより，胆嚢病変を多角的にとらえることができます。以下の３種類の胃内からの胆嚢描出法を覚えましょう。

方法１　胃前庭部前壁に押し込んで描出する方法

PUSH 操作で胃前庭部にスコープを押し込んで，アップアングルでスコープ先端を頭側に突き上げる形にして(図 5)反時計回りで胃前庭部前壁に当てるイメージです。十二指腸球部からの画像に近い胆嚢像が得られます（写真 42）。

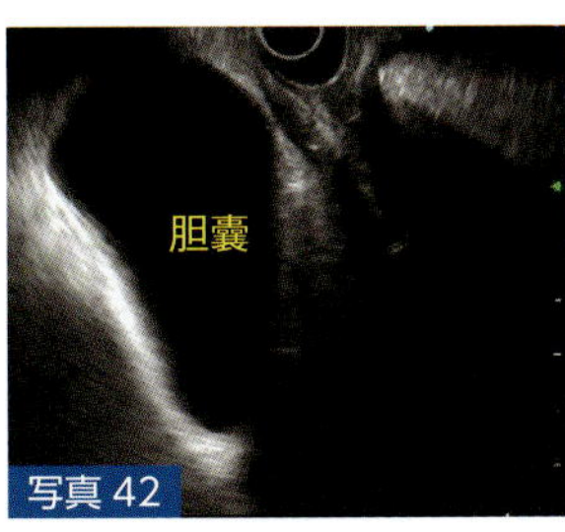

写真 42

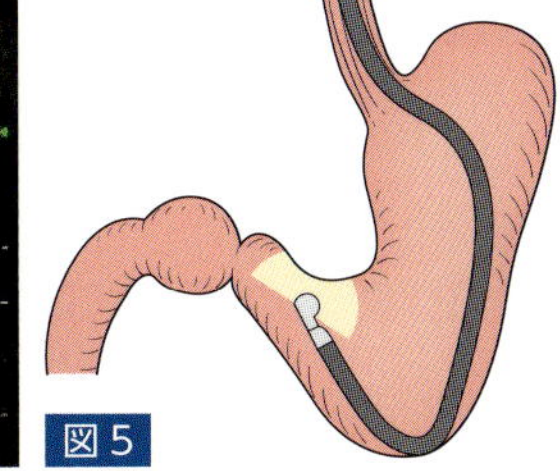
図 5

方法２　コンフルエンスから反時計回りで描出する方法

まず胃内からコンフルエンスを描出します（12 頁参照）。コンフルエンス（写真 43）から反時計回りで回旋し，アップアングルと PUSH 操作でプローブを胆嚢に近づける操作を加えて，胆嚢を描出します（写真 44）。

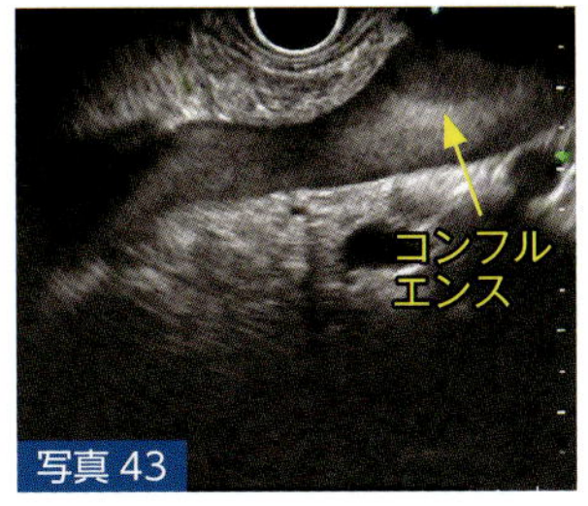

写真 43

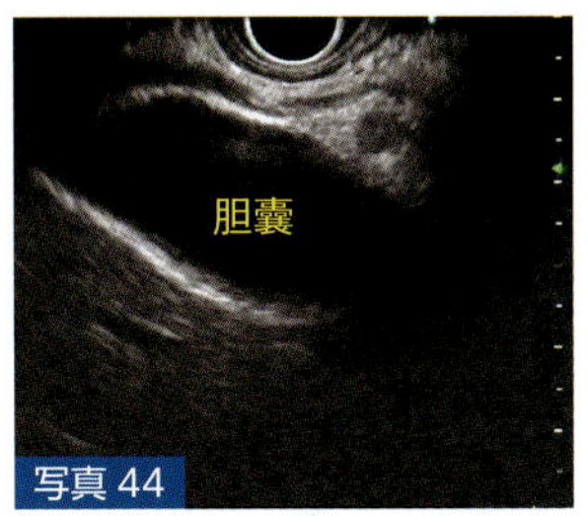

写真 44

方法３　肝外胆管から反時計回りで描出する方法

まず胃内から肝外胆管を描出し（写真 45）（10 頁 Step3 5 参照），スコープの PUSH や PULL 操作で肝外胆管を追従し，反時計回りの回旋を加えて胆嚢管の描出を試みます（写真 46）。胆嚢管を同定できたら，反時計回りとアップアングルと PUSH 操作で胆嚢が描出されてきます（写真 47）。胆嚢管が描出できなくても，肝外胆管中部あたりで反時計回りにすることで胆嚢が描出されやすくなります。

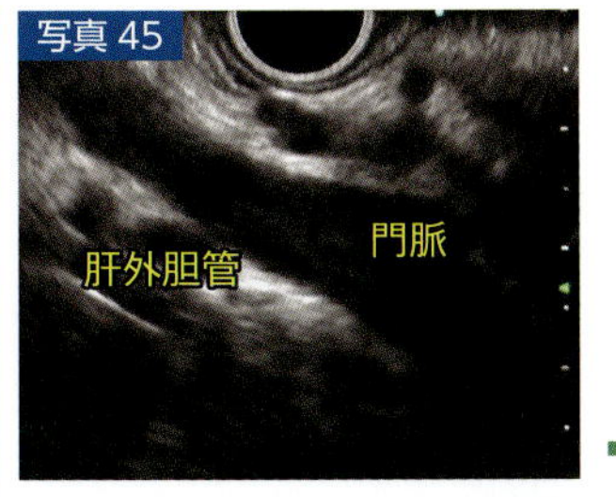

写真 45

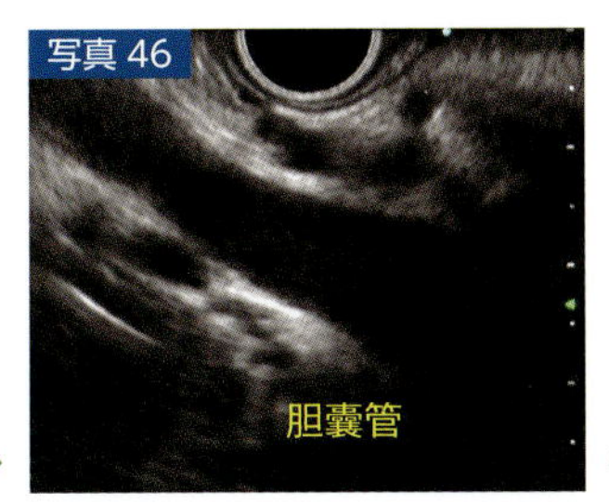

写真 46

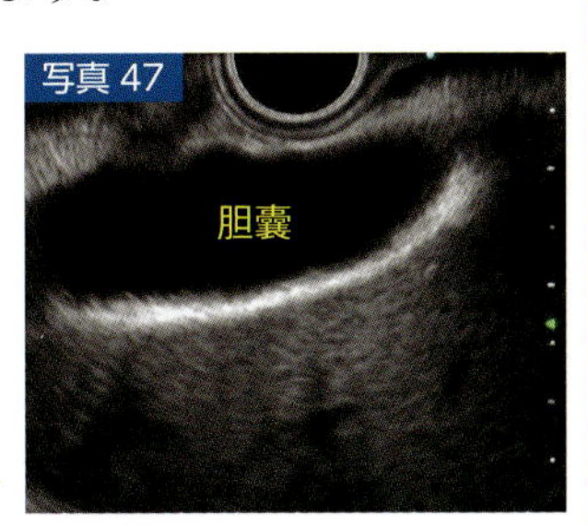

写真 47

Step 4 肝門部～肝内胆管の観察

（時間：46秒）

描出する臓器 肝門部胆管，左右肝管，右前・後区域胆管合流部

メルクマール 総胆管，門脈

Point 消化管内での操作のため，肝門部が描出できない症例もあります。そのときは無理せず，腹部超音波検査などほかの手段を用いましょう。

1 まずはじめに，Step2（29～33頁参照）の操作で肝外胆管（総胆管）を描出し，PUSH操作とダウンアングル，反時計回りに回旋して肝外胆管を追従していくと肝門部へと到達します。

2 肝門部が描出されたら，画面の右下方向に向かう左肝管，左方向に向かう右肝管が見えます（写真48）。

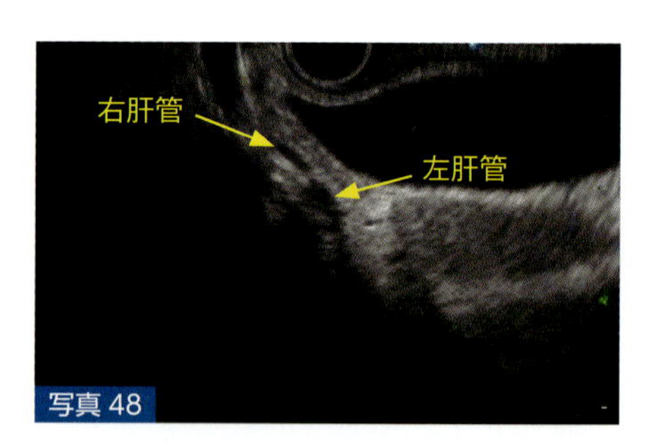

写真48

3 さらに反時計回りに回旋すると，左肝管と門脈左枝が見えます（写真49）。

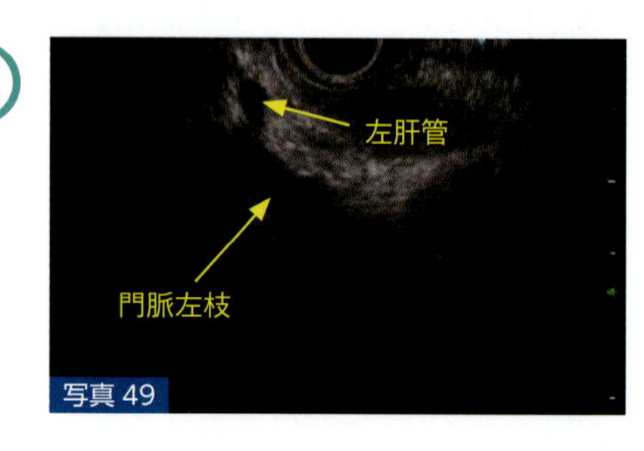

写真49

4 そのまま反時計回りに回旋を続けて，左肝管と門脈左枝を門脈臍部まで追従します（写真50）。

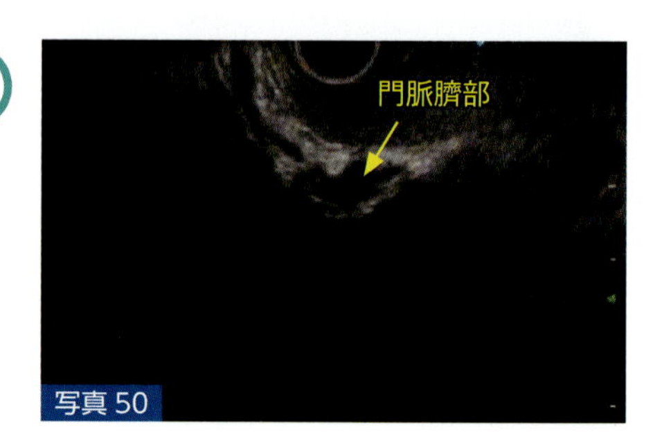

写真50

5 時計回りに回旋して肝門部に戻ります（**写真48**）。

6 右肝管を描出しながらダウンアングルとPUSH操作を用いて，画面左方向に向かう右前区域枝を追従できます（**写真51**）。

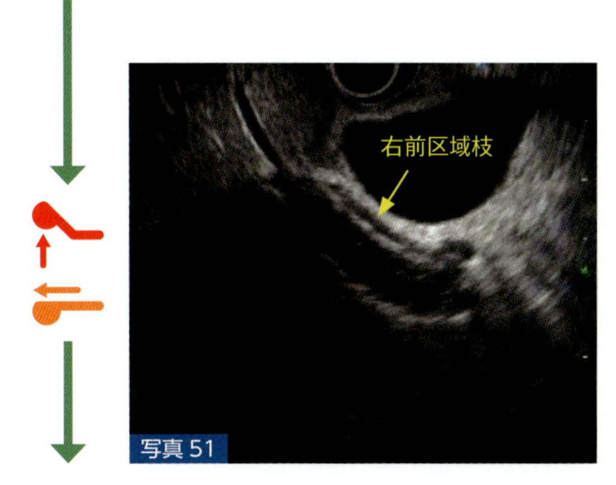

写真51

7 そこで時計回りに回旋させると，右後区域枝が画面左下方向に向かって描出されてきます（**写真52，53**）。

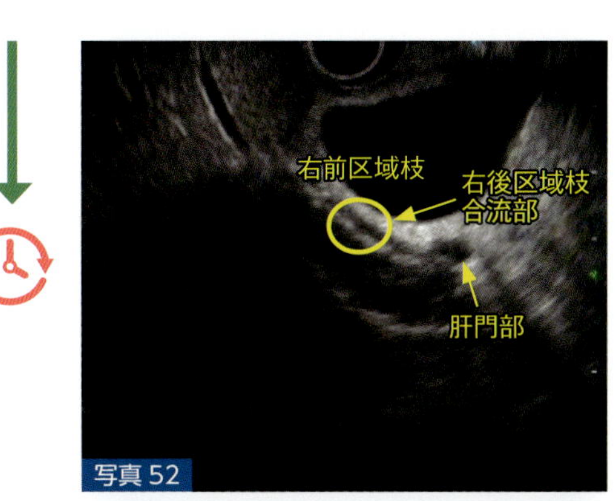

写真52

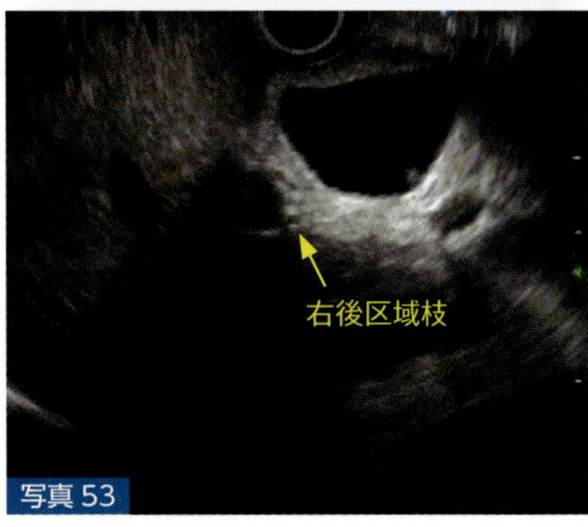

写真53

この描出の際，**6** の右後区域枝の追従が不十分で肝門部近くで時計回りに回旋させてしまうと，肝外肝管（総肝管）を描出してしまいます。そのため総肝管が描出される際は，もう一度肝門部に戻り，右前区域枝が十分描出されてから時計回りの回旋操作をしましょう。

第3章 十二指腸下行部（D2）操作（スクリーニング）

Step 1 十二指腸球部から下行部への挿入

Point D1操作終了後，スコープをゆっくりとD2に挿入しましょう。D2挿入後のスコープをねじれのないニュートラルな状態にすることで次のEUS操作が楽になります。

1 十二指腸球部に挿入し（**写真1**），右アングルをかけてスコープ先端がわずかに上十二指腸角に挿入された状態にします（**写真2**）。左右アングルを固定し，下行部方向の管腔を確認します。

右アングル
固定

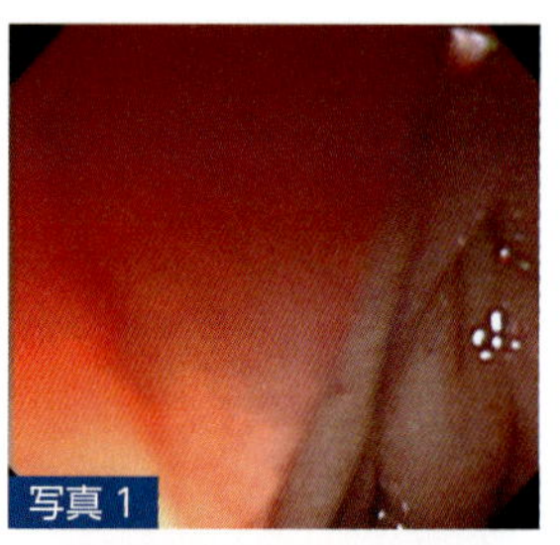
写真1

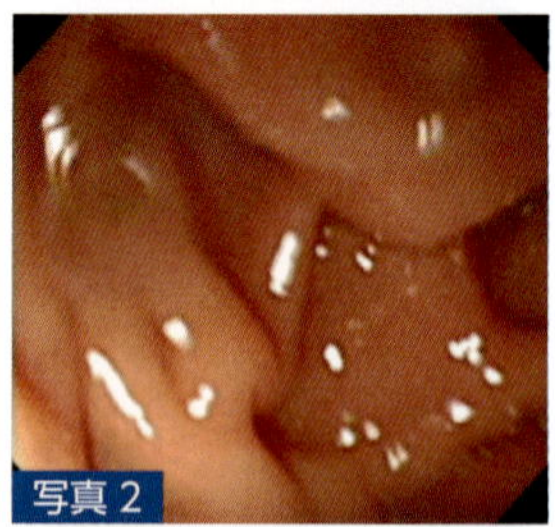
写真2

2 襞にスコープの先端が引っかからないように注意しながら，ダウンアングルをかけながらゆっくりとしたスコープのPULL操作を行います（**写真3**）。この操作で胃内のスコープのたわみが解除されて同時に，スコープ先端が十二指腸下行部に挿入されます（**写真4**）。
このときに抵抗がある，もしくは管腔が確認できないときは，左右アングルの固定を解除して**1**の操作からやり直しましょう。

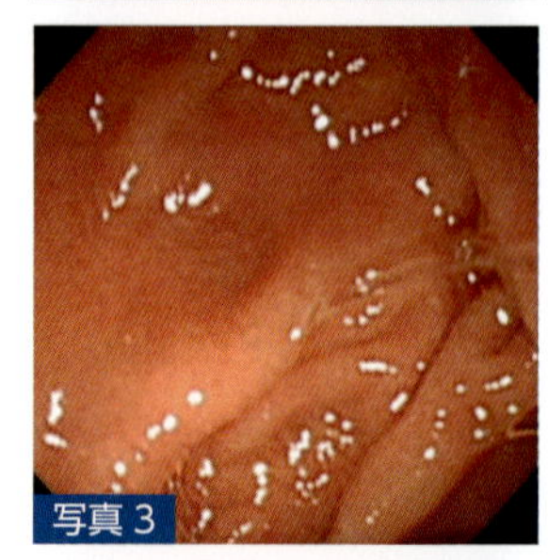
写真3

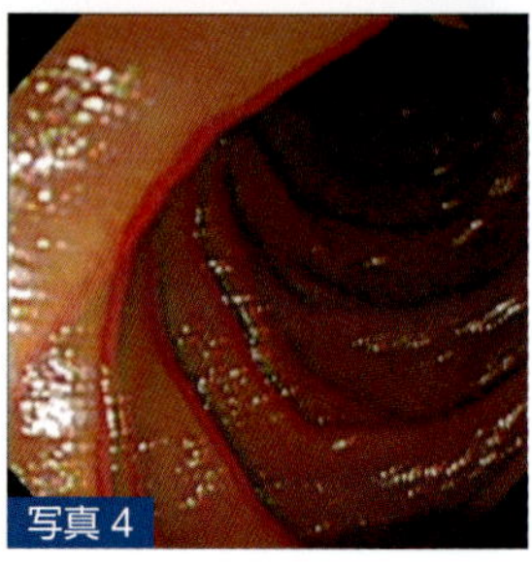
写真4

3 十二指腸下行部に挿入後，左右アングルの固定を解除し超音波画像に切り替えます。

Step 2 膵頭部，膵鉤部，乳頭部の観察

（時間：51 秒）

描出する臓器 膵頭部，膵鉤部，乳頭部

メルクマール 上腸間膜動脈・上腸間膜静脈

Point 上腸間膜動脈・上腸間膜静脈がポイントになります。周囲の臓器との関係を理解し，安定した描出を目指しましょう。

1 EUS 画像切り替え後，上腸間膜動脈（SMA）・上腸間膜静脈（SMV）が長軸方向に描出されます。その頭側（画面右側）に描出されてくるのが膵頭部です（**写真 5**）（SMA と SMV が描出されないときはスコープのねじれが生じているためと考えられます。その対処方法は 44 頁「トラブルシューティング」参照）。

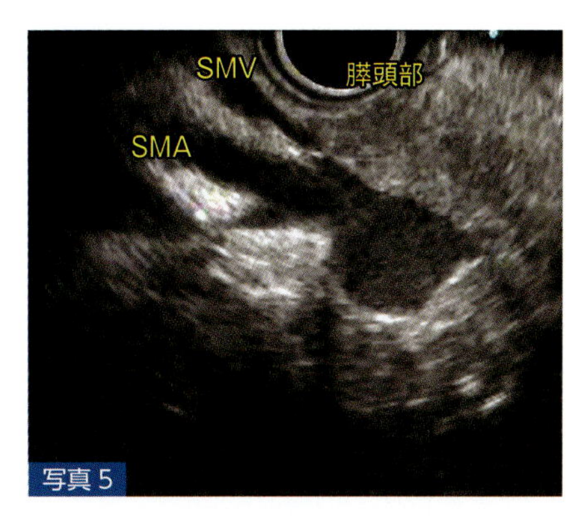

写真 5

2 わずかな時計・反時計回旋操作を加えて SMA・SMV を常に長軸方向に描出しながら，スコープの PULL 操作で SMA・SMV を追従すると，さらに膵頭部が描出されてきます（**写真 6**）。またこの画像で SMA，SMV に接する部分が膵鉤部です（**写真 6**）。

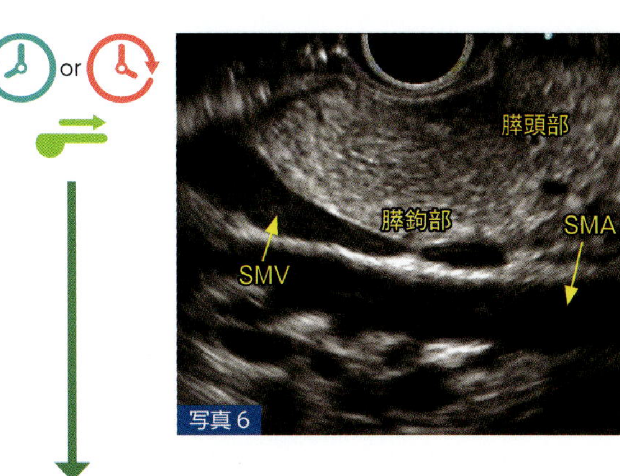

写真 6

3 さらに，反時計回りに回旋していくと乳頭部付近が低エコー域として描出されてきます（**写真 7**）。

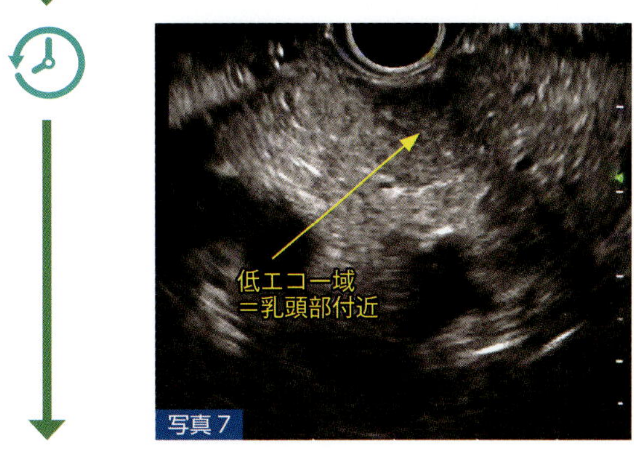

写真 7

4 さらに反時計回りで回旋していくと，低エコー域に最初に主膵管が描出されてきます(**写真8**)。

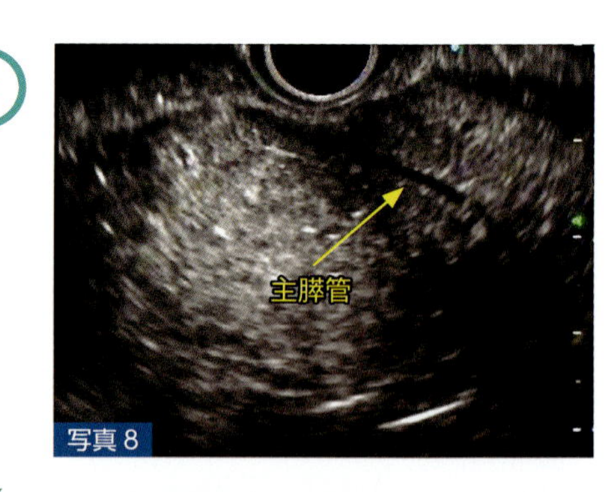

写真8

5 さらに反時計回りで回旋していくと，主膵管よりプローブ近位側（画面上側）に総胆管が描出されてきます（**写真9**）。基本的には，主膵管，総胆管の順で描出されるので，それぞれ観察しましょう。このとき，主膵管と総胆管が同画面上に描出されないこともあります。

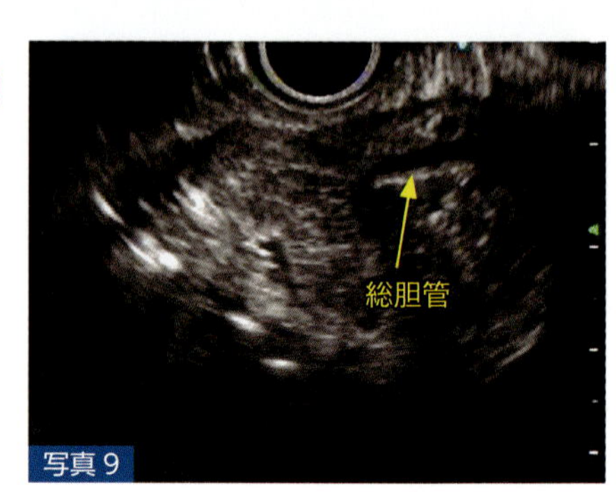

写真9

トラブルシューティング
上腸間膜動脈・上腸間膜静脈が描出されないとき

(時間：1分12秒)

十二指腸下行部周囲臓器の位置関係をイメージしましょう。

十二指腸下行部からの観察時の周囲臓器の位置関係は下のCT像のようになっています(**写真10**)。

下図の腎臓や下大静脈などいずれかが描出されれば，時計回り，もしくは反時計回りでの回旋操作でSMA・SMVが描出できます。

右腎臓 ↔ **下大静脈** ↔ **下行大動脈** ↔ **十二指腸水平部** ↔ **SMA・SMV**

背側 ——→ **腹側**

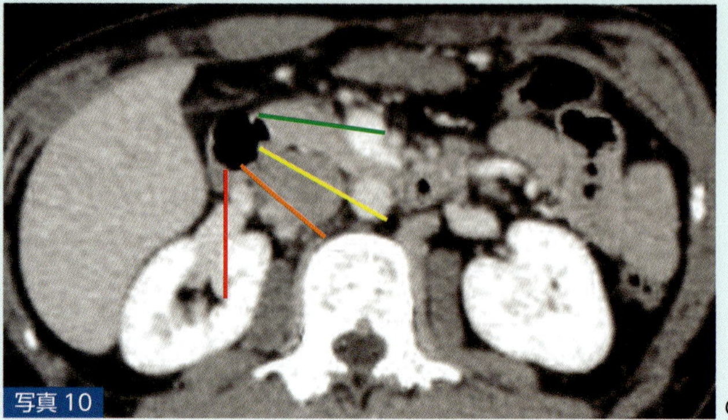
写真10

CT 水平断

奥義　D2 観察開始時の主膵管と総胆管の位置関係

乳頭部付近の D2 観察での主膵管，総胆管の位置関係を理解していきましょう。以下の 2 点を覚えるだけです。

1．主膵管は必ず総胆管の腹側に位置します

つまり，腹側から反時計回りに回旋して描出すると，SMA，SMV →主膵管→総胆管→下行大動脈の順に必ず描出されます。背側からは，時計回りに回旋すると逆の順に描出されます。

位置関係は**写真 11 〜 14** のようなイメージになります（44 頁「トラブルシューティング」参照）。

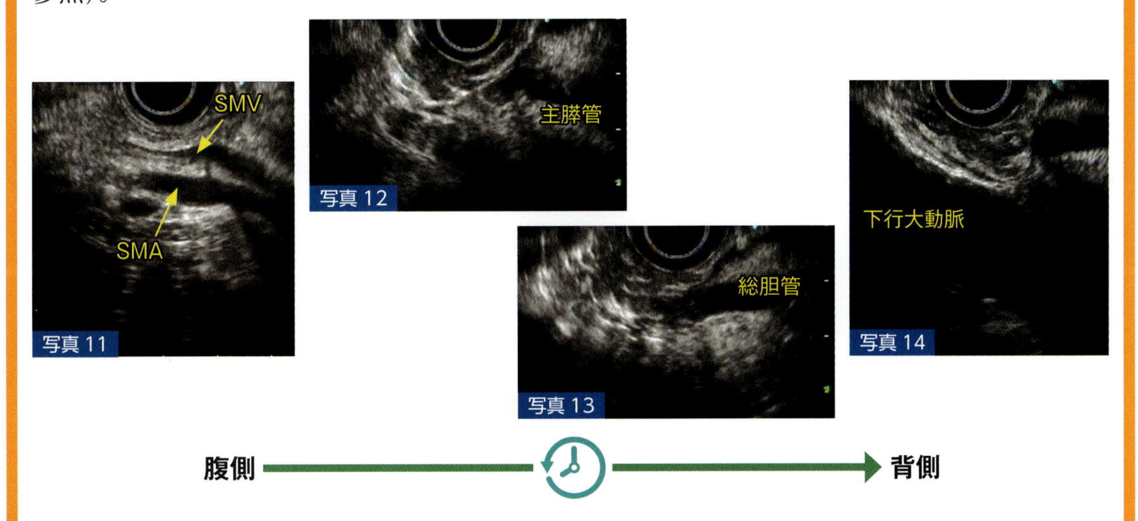

2．主膵管は必ず総胆管のプローブ遠位側（画面下側）に描出されます

44 頁 Step2 **4** **5** で示すとおり，必ず，主膵管は総胆管よりプローブ遠位側（画面下側）に描出されます。

奥義　コンベックスEUSによる乳頭部観察

乳頭部観察は一般的にラジアルEUSが適しているといわれています。その理由は総胆管と主膵管を短軸で同時に描出することが可能なためです。しかし，コンベックスEUSでもある程度乳頭部の評価をすることは可能です。その際に十二指腸内腔に脱気水を注入すると観察しやすくなります（写真15）。観察のポイントになるのは線状の低エコー層として認められる十二指腸筋層（写真16，17の青点線）の描出です。十二指腸筋層を描出して，主膵管（写真16），総胆管（写真17）がそれぞれ筋層を貫く場面を観察することで，乳頭部腫瘍の主膵管進展・浸潤，総胆管進展・浸潤，および十二指腸浸潤・膵浸潤を評価することができます。

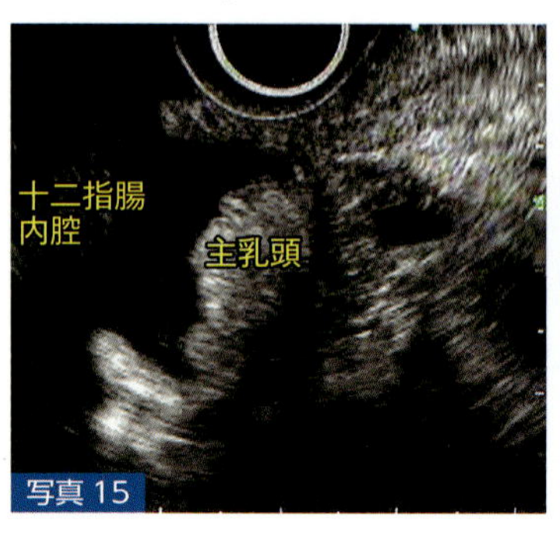

写真15

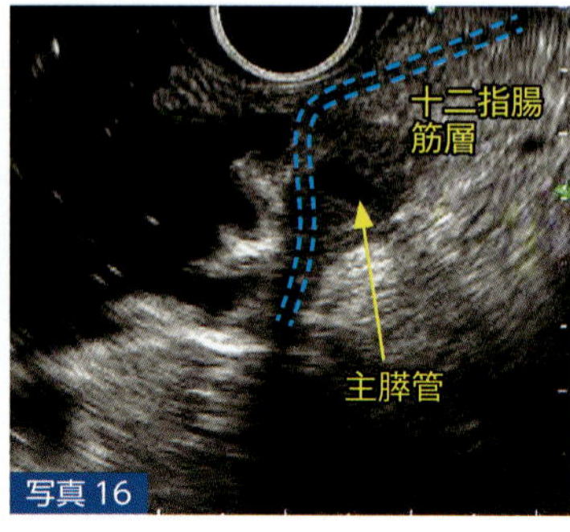

写真16

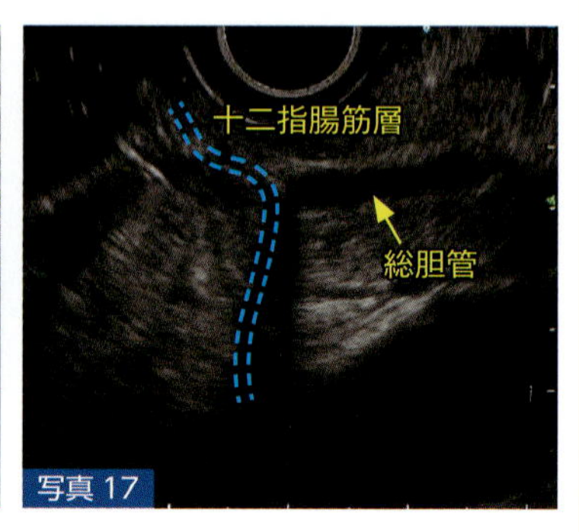

写真17

奥義　胃内および十二指腸球部からの膵鉤部の観察

● 胃内操作

実は，24頁で学んだ「トラブルシューティング」方法による膵頭部の描出を行っているときに，膵鉤部が観察されていたのです（写真18）。動画36と動画14（24頁）を見比べてみましょう。

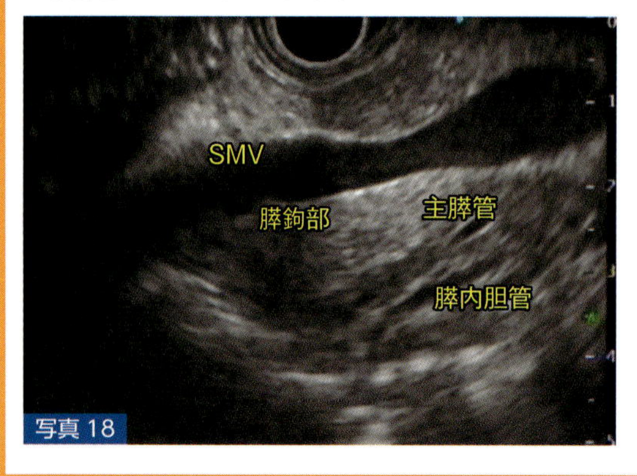

写真18

● D1操作

まずコンフルエンスを描出します（29もしくは34頁参照）。次にSMVを描出しながら時計回りに回旋させるとSMAが描出されます。SMAまたはSMVに接するところが膵鉤部です（写真19）。

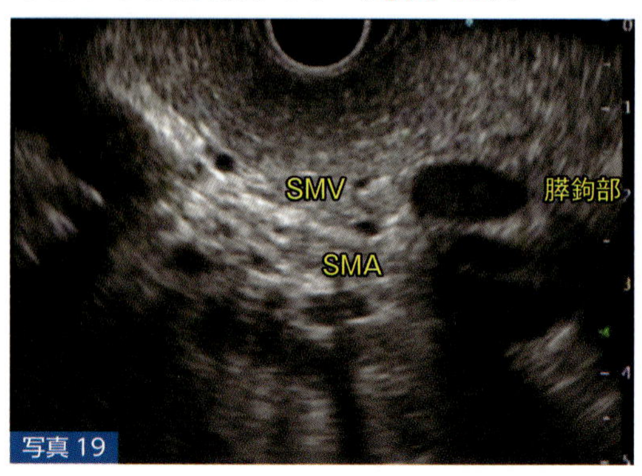

写真19

Step 3 膵頭部から膵尾部の観察（D2 → 胃内操作）

描出する臓器　膵頭部から膵尾部

メルクマール　上腸間膜静脈

Point　D2 操作で膵頭部の主膵管および総胆管を十分に観察します。さらに膵頭部から主膵管を追従し胃内操作に移行し，膵尾部まで描出していきます。

1　長軸に描出されている膵頭部の主膵管（44 頁 写真 8 参照）を PULL 操作で追従しながら観察していきます（**写真 20**）。この位置で反時計回りを加えることで，膵内胆管を描出・観察することができます（**写真 21**）。

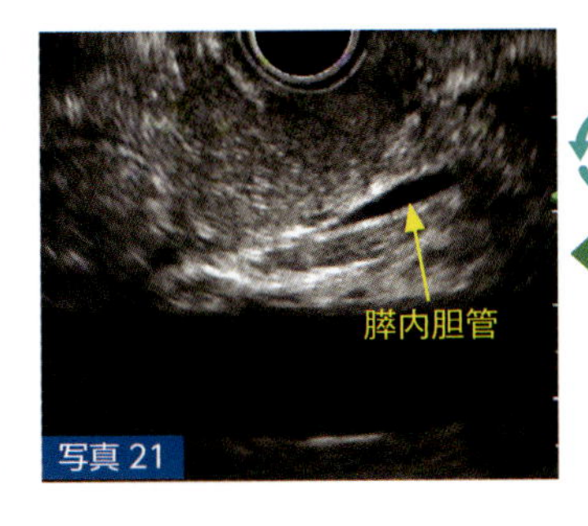

写真 21

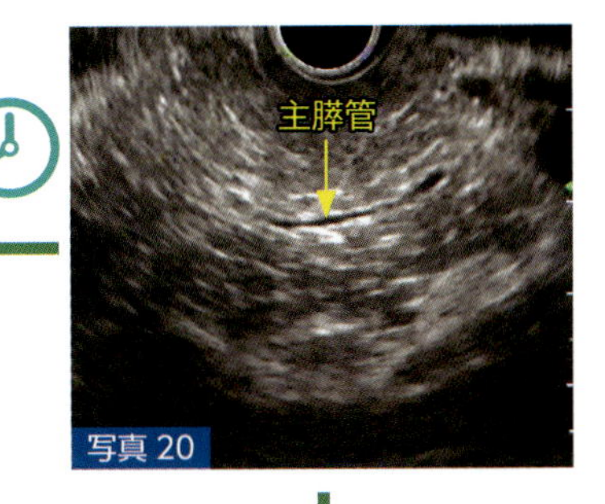

写真 20

2　主膵管の描出を維持するため，時計回りの回旋操作を併用し PULL 操作で主膵管を追従していくと，SMV と並走して主膵管がプローブ近位側（画面上側）に近づいていきます（**写真 22**）。

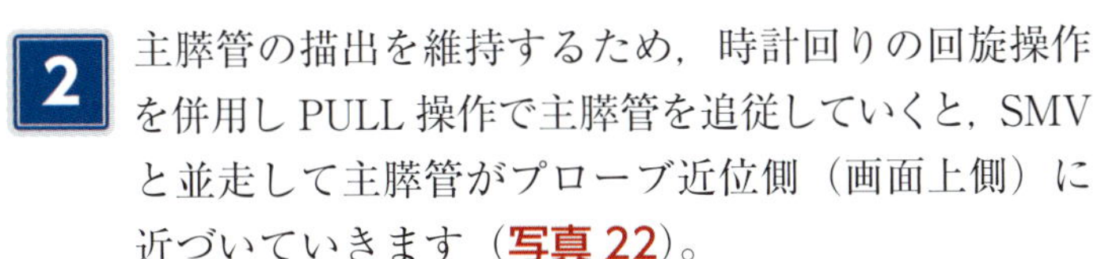

2 では D2 操作にて主膵管の観察と総胆管の観察の両者を行うことが理想です。しかし，主膵管を膵体部まで観察するなかでスコープが胃内に戻ってしまい，同じ D2 操作で総胆管を肝門部まで連続して観察することを同時に行えないこともあります。その際は，再度 Step1（42 頁）からやり直すか，スコープが胃内に戻ったのちに PUSH 操作で総胆管を観察します（22 頁 Step7 参照）。

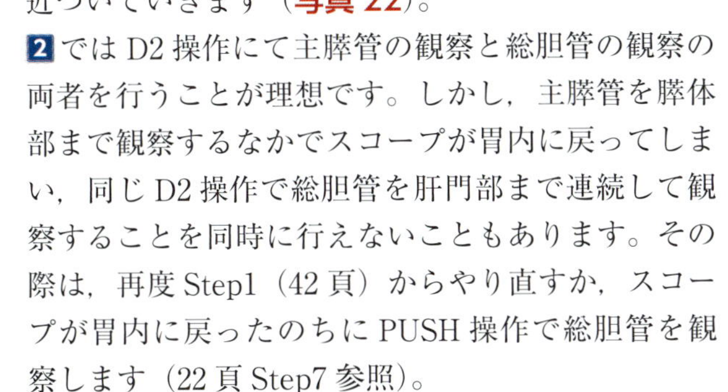

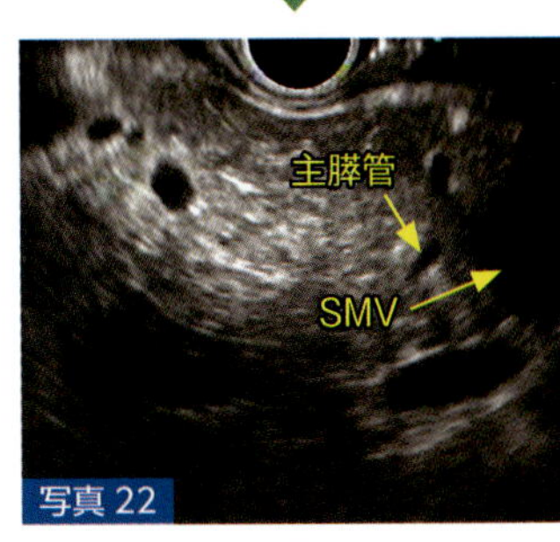

写真 22

3　スコープが胃内に戻ったら，胃内操作の時計回りで膵頭体移行部から膵尾部まで観察します（**写真 23**）（14 頁 Step4 参照）。このときには 14 頁 Step4 よりもスコープが直線化されているので描出される膵臓は若干プローブに近い位置に描出され，観察しやすくなります。

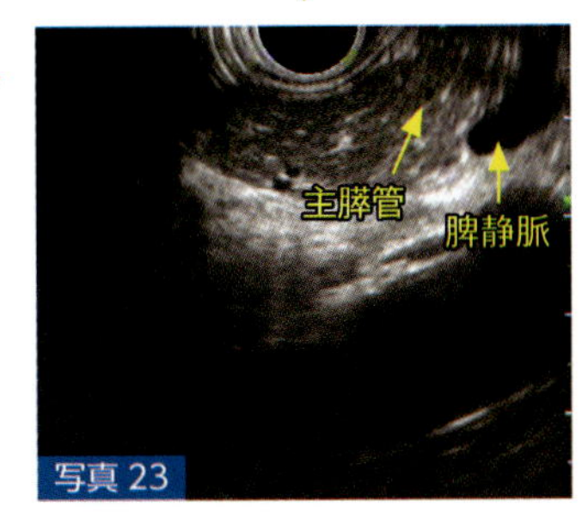

写真 23

トラブルシューティング

D2 引き抜き時に膵臓を見失わない方法

D2 からの引き抜き操作で，膵頭体移行部付近を観察しているときに，スコープが幽門輪の引っかかり（図 1）から外れて胃内に戻ってしまい突然 EUS 画面が変わり，膵臓を見失ってしまうことが多いと思います（図 2）。

まず，ズルっと一気に D2 から胃内へと抜けずにスムーズに D2 から胃内観察に移行するコツを説明します（動画 39）。

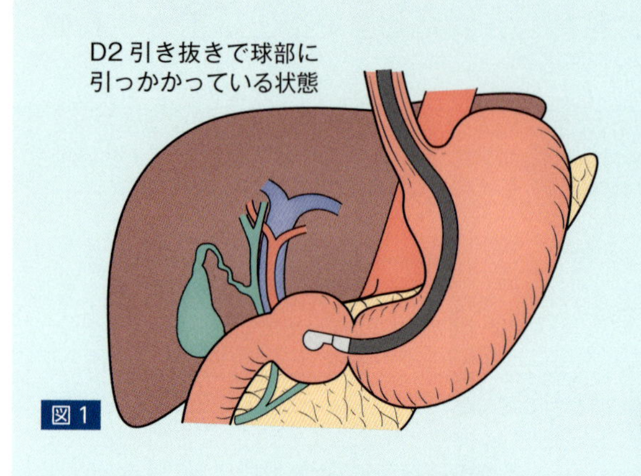

図 1

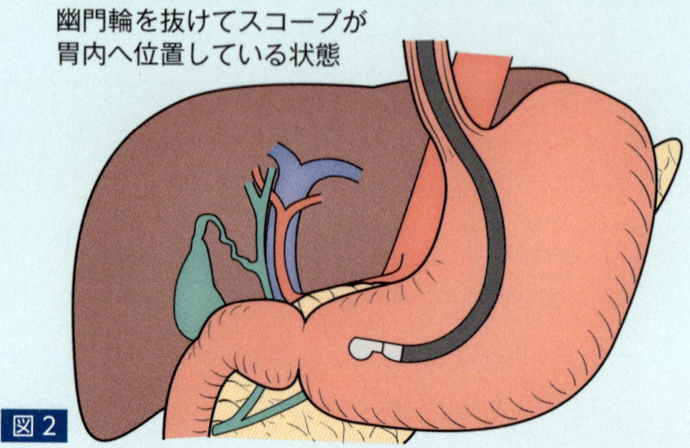

図 2

コツ 1

(時間：29 秒)

D2 で乳頭部を描出し，主膵管を追従しながら観察してくる際に PULL 操作を行います。この PULL 操作の際に PULL 7 ～ 8 割，PUSH 2 ～ 3 割くらいの力加減でゆっくりと PULL してきます。D1 や胃内に抜けた際に超音波画面が大きく変わりますので，そのときに少し PUSH 操作を加え，PUSH，PULL の力加減が 5 割ずつになるようにすることでスコープがその場にとどまります。その後，また完全に胃内に移行するまで PULL 7 ～ 8 割，PUSH 2 ～ 3 割くらいの力加減でゆっくりと PULL します。そうすることで超音波画面が大きく変化せずに膵臓の観察を続けていくことができます。

コツ 2

それでも D2 から一気に抜けてきてしまう場合は，通常は D2 に短縮して挿入した際に，左右アングルの固定を解除していますが（42 頁 Step1 1 ～ 3 参照），解除せずに固定した状態で PULL 操作をしながら観察することで，一気に抜けてしまうのを防げることがあります。

コツ 3

(時間：34 秒)

上記の方法を用いても一気に D2 から胃内へ抜けてしまうことはあります。次に，ズルっと胃内に一気に抜けてしまっても慌てずに胃内操作に移行する方法を説明します（動画 40）。

スコープが抜けた胃内の位置で（図 2），少しの PULL 操作と時計・反時計回りのいずれかの回旋操作で SMV を描出しましょう。描出した SMV を PULL 操作で追従し，コンフルエンス（メルクマール）を描出しましょう（12 頁参照）。その後，膵臓の観察を再開しましょう（14 頁参照）。

この方法が有効な理由は，スコープが抜けた時点では胃の位置が移動しただけで，スコープと膵臓の位置関係はほとんど変わっていないからです（図 1，2）。よって，多くの場合，胃内での少しの修正で膵臓の再描出が可能になります。

奥義　主膵管と総胆管の位置関係―D2 観察と胃内観察の違い

（時間：26 秒）

D2 操作で膵臓を観察する際は，膵頭部ではプローブの近位側（画面上側）に総胆管，遠位側（画面下側）に主膵管が描出されます（写真 24）。胃内操作で膵臓を観察する際は，膵頭部でも膵頭体移行部付近でもプローブの近位側（画面上側）に主膵管，遠位側（画面下側）に総胆管が描出されます（写真 25）。これにより，プローブの位置が D2 か胃内かを把握しやすくなります。

D2操作

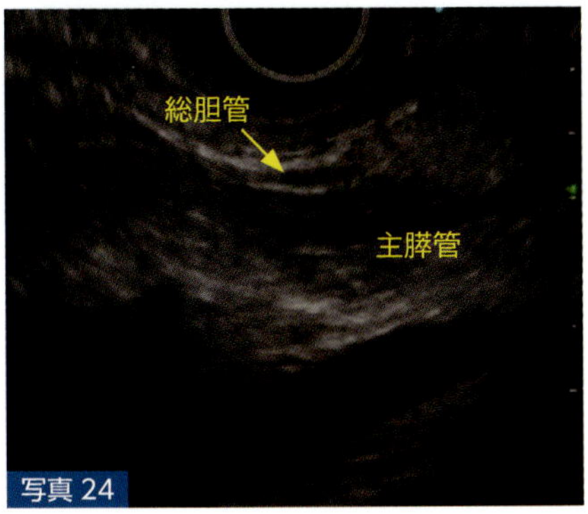

総胆管

主膵管

写真 24

胃内操作

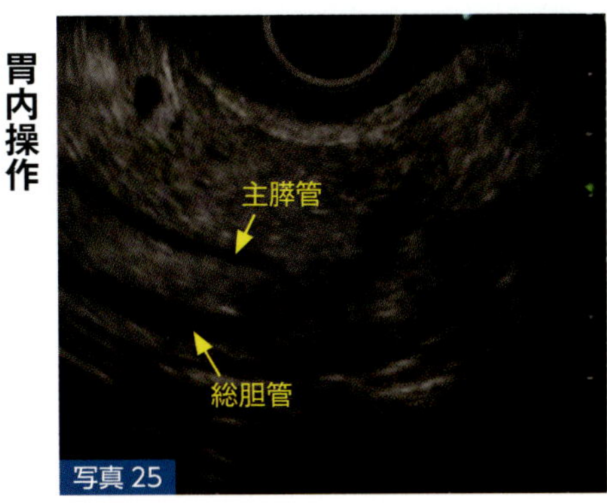

写真 25

奥義　乳頭部から肝門部までの肝外胆管描出法（胃内操作・D2 操作）

(時間：1分32秒)

スクリーニング検査で肝外胆管を乳頭部から肝門部まで追従するメインとなるのは D1 操作です。しかし，潰瘍瘢痕などで D1 操作が難しい場合や胃術後の Billroth-1 再建で D1 がない場合に胃内や D2 操作での肝外胆管の描出が必要になる場面があります。ここで胃内や D2 からの肝外胆管描出方法を説明します。

● 胃内操作

まずは肝左葉から肝外門脈まで描出します（9 頁 Step3 参照）。

この際に左肝内胆管から肝門部を経由して肝門部付近の総肝管までが同時に描出されています（**写真 26**）。

肝内胆管が細くて描出できないときは，肝外門脈のプローブ遠位側に並走する肝外胆管を描出します（**写真 27**）。その後反時計回り操作で肝外胆管を肝臓側に追従すると肝門部付近が描出されます。その肝外胆管を PUSH 操作，時計回り操作，アップアングル操作で乳頭部方向に追従していきます（**写真 28**）。

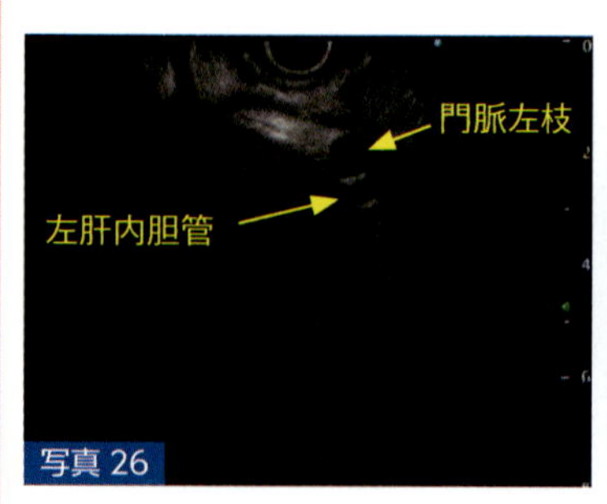

写真 26

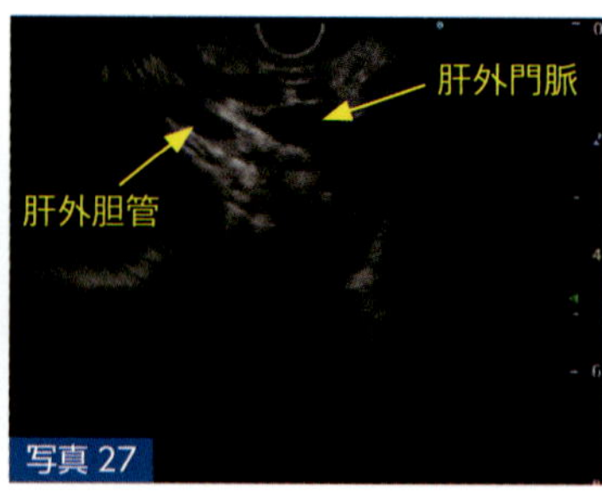

写真 27

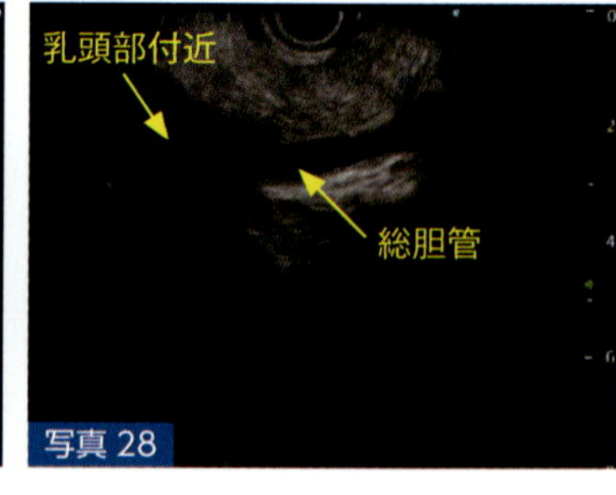

写真 28

● D2 操作

乳頭部から総胆管を描出します（43 頁 Step2 参照）。

その総胆管を PULL 操作，反時計回り操作，アップアングル操作で肝門部方向に肝外胆管追従していきます。この操作時にスコープが胃内に抜けた後にも，引き続き同じ操作を継続して肝外胆管を肝門部まで追従して描出します。

上記の胃内操作と D2 操作は基本的には逆方向の操作になりますので覚えやすいと思います。

両操作ともにアップアングル操作で肝外胆管をできるだけプローブに近づけることが重要です。被検者の体形や胃の形態などによっては，近づけるのが難しいときがありますので，胃内操作と D2 操作でより肝外胆管を観察しやすい操作方法を選択して観察していきます。

スクリーニング（まとめ）

胆膵 EUS の観察範囲と観察順番のまとめです。

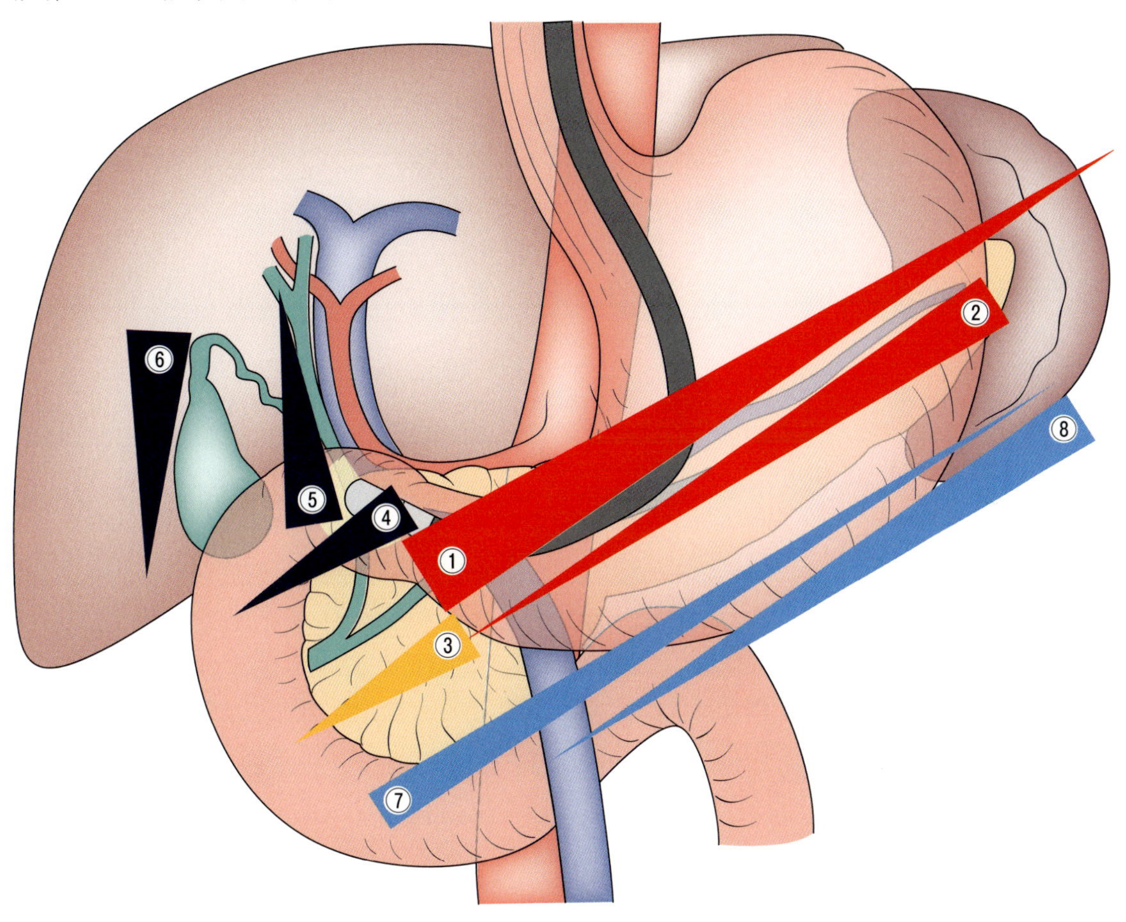

胃内操作必須（赤）

①：膵頭体移行部～膵尾部，脾臓，左副腎
②：膵尾部～膵頭体移行部

胃内操作可能なら（黄）

③：膵頭体移行部～膵頭部

D1 操作必須（黒）

④：膵頭体移行部～膵頭部
⑤：総胆管
⑥：胆嚢管～胆嚢

D2 操作必須（青）

⑦：膵頭部～膵尾部
（膵頭体移行部～膵尾部は胃内操作）
⑧：膵尾部～膵頭体移行部（胃内操作）

- 胆膵系臓器，とくに膵臓は 2 回以上，異なる方法で観察し，見落とさないように注意しましょう。

コラム COLUMN　EUSとUS

EUSもUSも同じ超音波検査になります。画像で見えているものを把握するためにはUS画像での慣れも重要になります。積極的にUSも施行するようにしましょう。EUSでの操作の理解にUSの操作が役立つと考えています。ぜひ参考にしてみてください。

基本操作1　EUSでの回旋操作

EUSでの回旋操作は，USで短軸方向に描出された脈管を，プローブを回転させながら追従するイメージです。その際に，脈管を画面の5～7時の間に位置させ操作するのと同様に，EUSでも観察臓器を画面の5～7時の間に位置させ観察します。

基本操作2　EUSでのアングル操作

EUSでのアングル操作は，USでプローブの押し当て方の強弱をつけることで観察臓器が画面上，上下移動するイメージです。ただし，EUSでのアングル操作は単純な上下運動ではなく，観察臓器の動きは画面の対角線上の移動として観察されることを理解しておきましょう（3頁参照）。

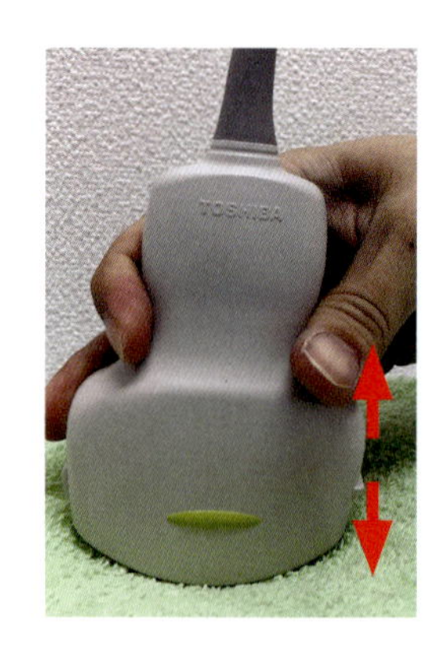

基本操作3　EUSでのPUSH・PULL操作

EUSでのPUSH・PULL操作は，USではプローブを長軸方向に動かすイメージです。EUS画面上，観察臓器の動きは左右の移動になります。

第4章 腹腔内動脈の観察

Step 1 胃内操作

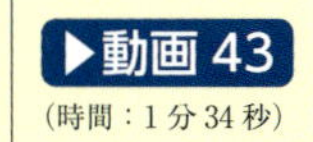
▶動画 43
（時間：1 分 34 秒）

Point 腹腔内血管を評価することは手術適応の検討に重要です。とくに胆管癌症例での右肝動脈への浸潤，膵癌症例での腹腔動脈，総肝動脈，胃十二指腸動脈などへの直接浸潤，神経叢浸潤などの有無の評価に役立ちます。血管走行を覚え，血管を見失わないようにゆっくりと追従しましょう。

1 主な腹腔内動脈の走行を覚えましょう（図 1）。

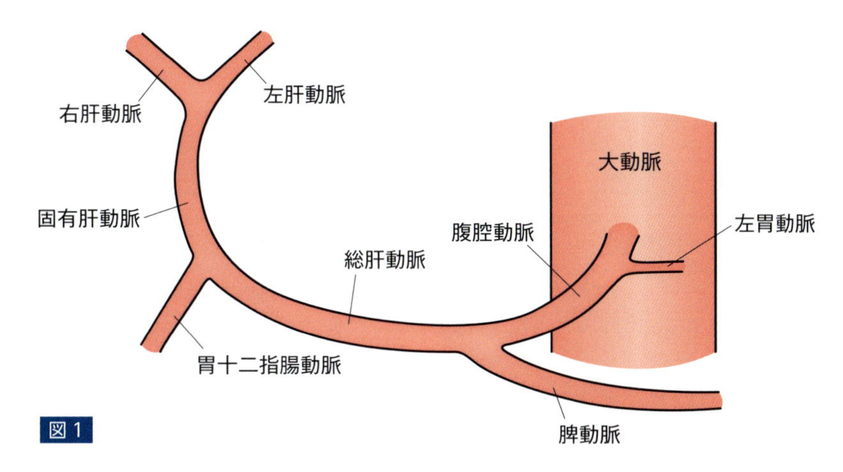

図 1

2 まず，胃内操作で下行大動脈と腹腔動脈を描出しましょう（10 頁 Step 3 **7** 参照）。

3 腹腔動脈から最初に左胃動脈がプローブ近位，画面右上に分岐していきます（写真 1）。

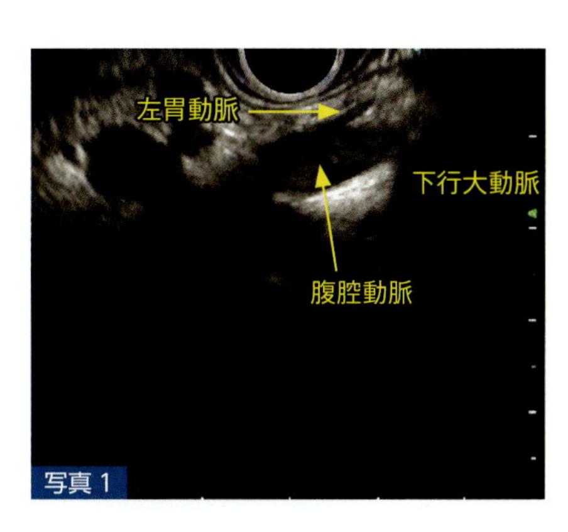

写真 1

4 時計回りもしくは反時計回りに回旋しながら腹腔動脈を追従すると，脾動脈と総肝動脈に分岐します（**写真2**）。

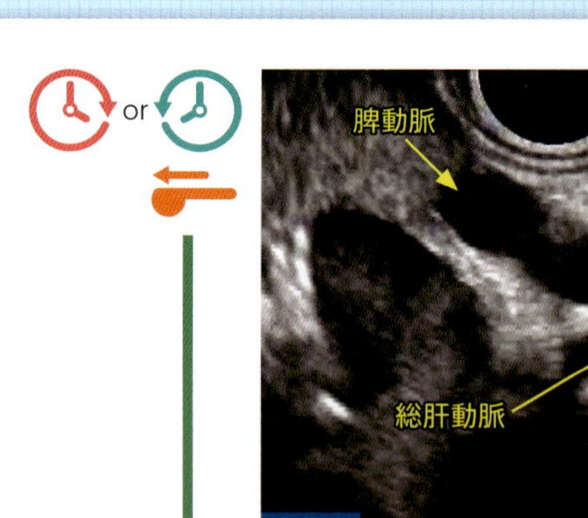

写真2

5 脾動脈と総肝動脈の分岐から脾動脈 **5-1**，総肝動脈 **5-2** をそれぞれ追従していきます。

5-1 分岐した脾動脈をPUSH・PULL操作で画面の5～7時の間に位置するように調整し，時計回りに回旋することで脾動脈が追従できます（**写真3**）。

5-2 分岐した総肝動脈をPUSH・PULL操作で画面5～7時の間に位置するように調整し，反時計周りに回旋することで総肝動脈が追従できます（**写真4**）。

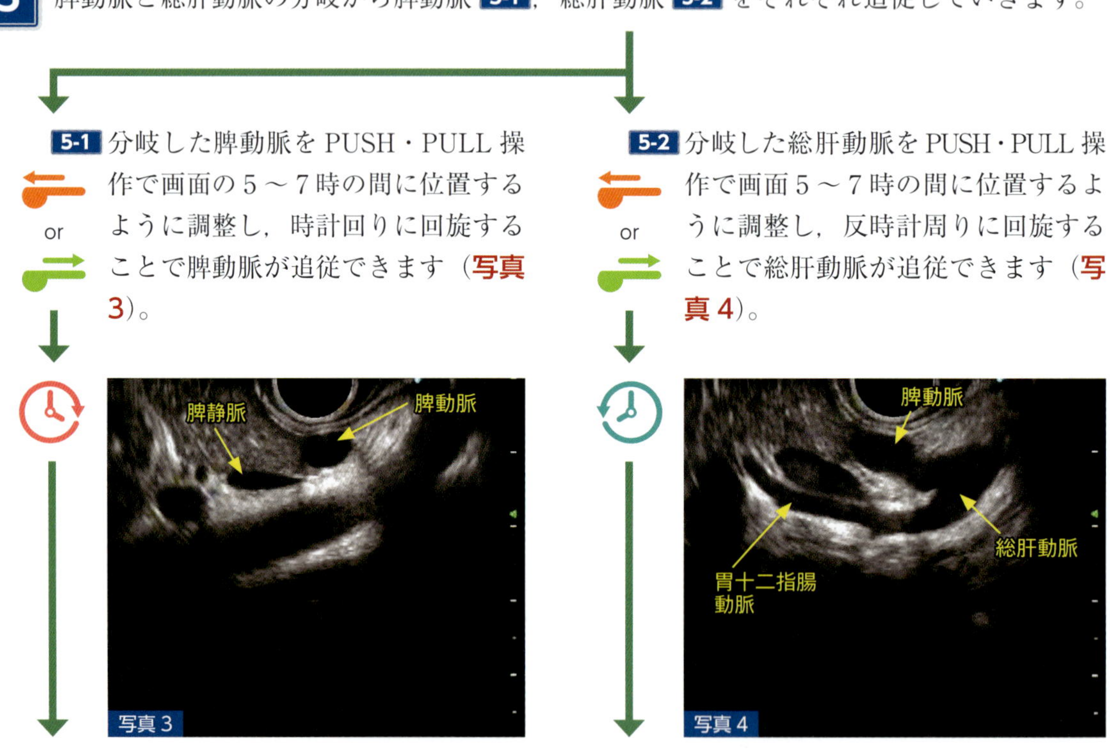

写真3
写真4

時計回り，反時計回りの回旋操作は腹腔動脈から下行大動脈に戻る操作にもなるので，下行大動脈に戻らずに脾動脈，総肝動脈を描出するには，分岐した脾動脈，総肝動脈を画面の5～7時の間にしっかり位置して追従することが重要になります。

6 **5-2** の総肝動脈を反時計回りに追従を続けると，総肝動脈からプローブ先端方向（画面左下）に胃十二指腸動脈が分岐し，その後，固有肝動脈になります（**写真 5**）。

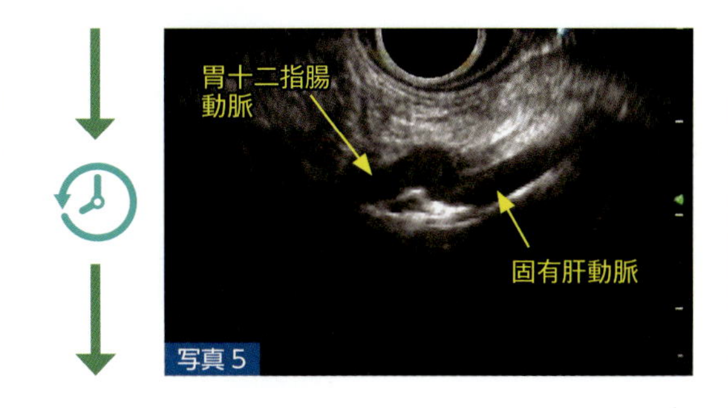

写真 5

7 さらに反時計回りに回旋させると右肝動脈と左肝動脈に分岐します。その分岐から右肝動脈 **7-1**，左肝動脈 **7-2** をそれぞれ追従していきます。

7-1 右肝動脈と左肝動脈の分岐から時計回りに回旋すると右肝動脈が門脈と交差します。その際プローブから脈管が遠位側（画面下側）に離れていくのでアップアングルをかけ調整します（**写真 6**）。

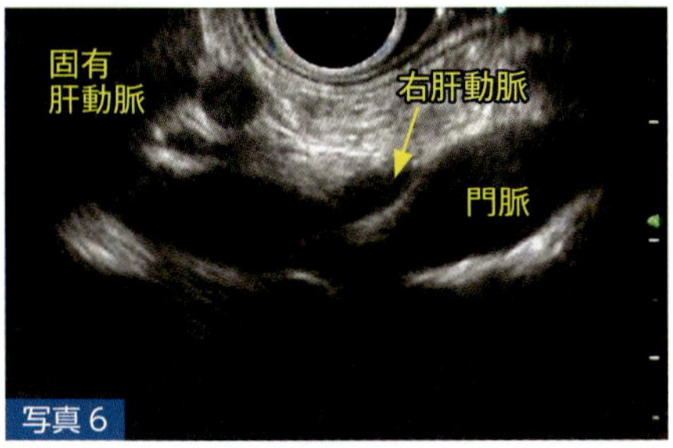

写真 6

7-2 右肝動脈と左肝動脈の分岐から反時計回りに回旋すると左肝動脈が肝左葉へと入っていくのが追従できます（**写真7**）。

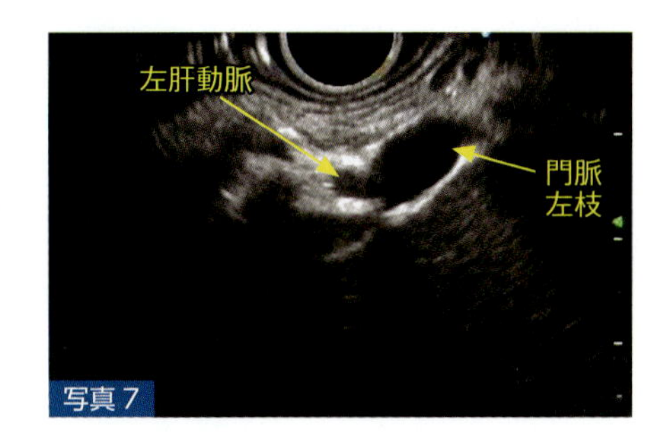

写真 7

3～**7** までの操作を1つの図にすると，**図 2** のようになります。

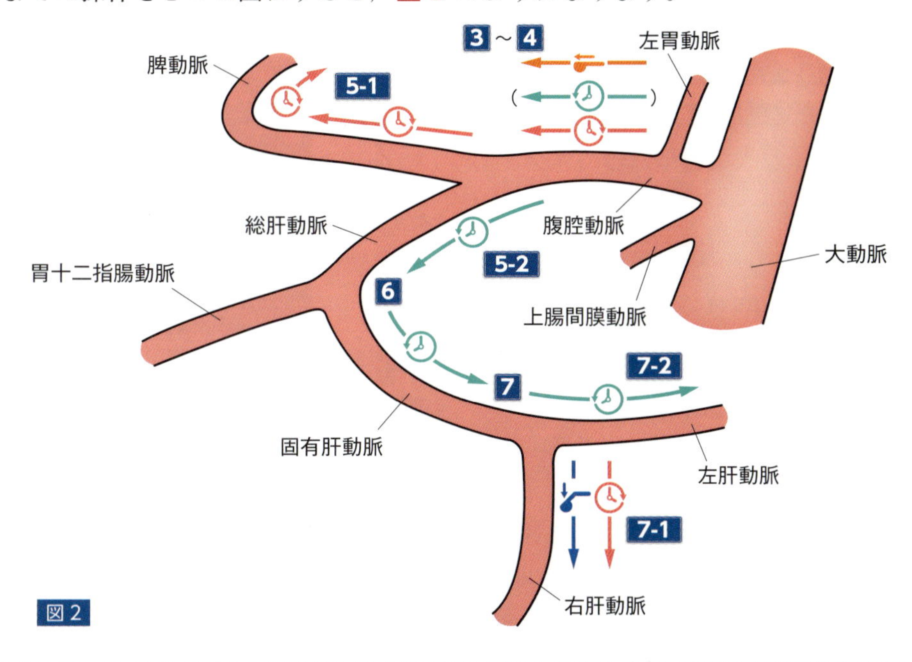

図 2

胃内操作脈管観察写真のまとめ

EUS 画像ではこのように描出されます。下記の 2～7 は，53 ～ 55 頁の番号に対応しています。

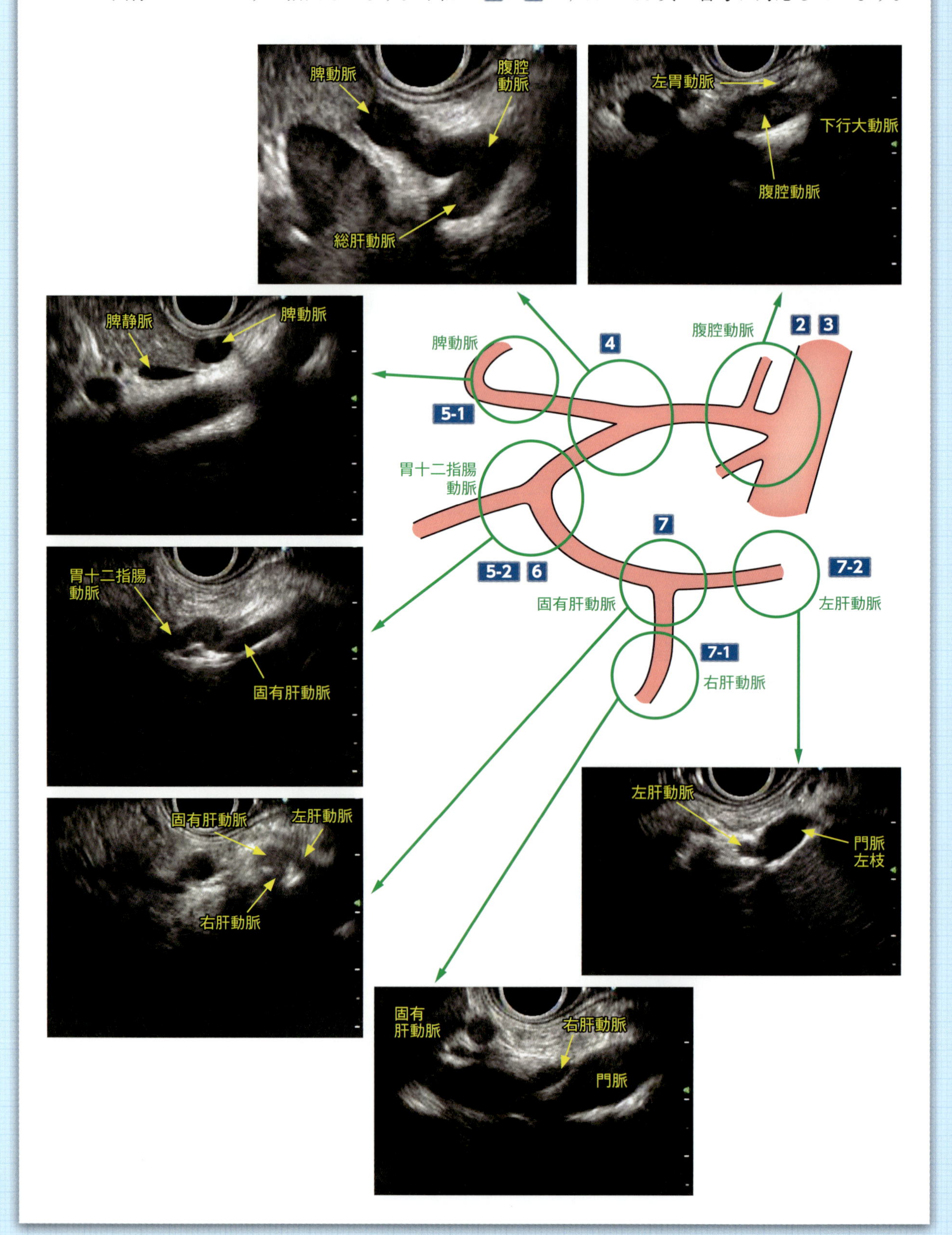

Step 2 D1 操作

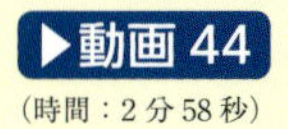

Point 胃内操作同様に，血管を見失わないようにゆっくりと追従しましょう。

1 膵頭部を描出し（29 頁 Step2 参照），総胆管を肝門側に追従する過程で描出される膵上縁付近で反時計回りに回旋すると，総肝動脈が描出されてきます（**写真 8**）。

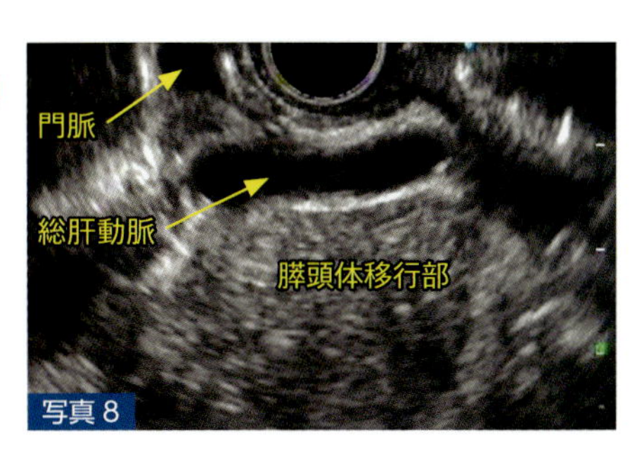

写真 8

2 反時計回りに回旋すると固有肝動脈が分岐し（**写真 9**），時計回りに回旋すると胃十二指腸動脈が分岐しているのが描出されます（**写真 10**）。胃十二指腸動脈 **2-1**，固有肝動脈 **2-2** をそれぞれ追従していきます。

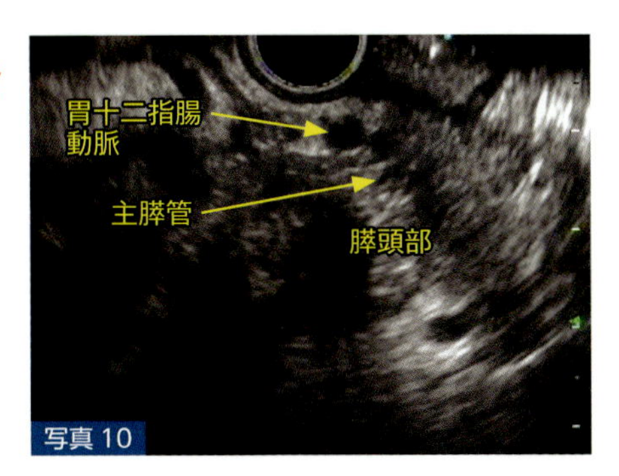

写真 10

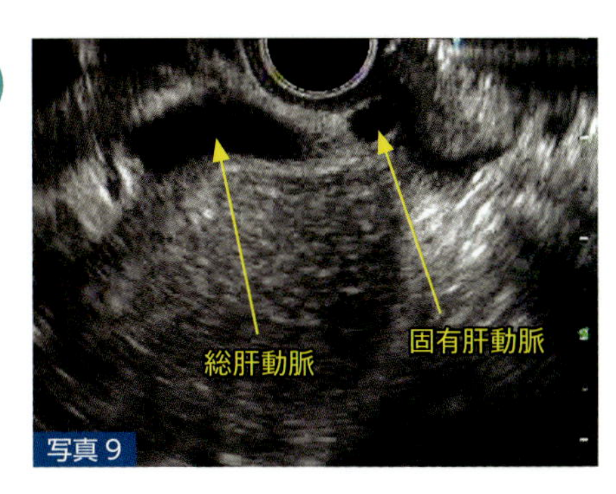

写真 9

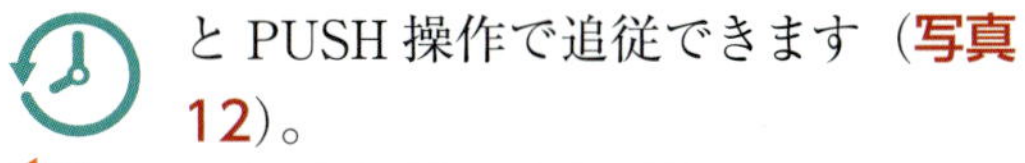

2-1 胃十二指腸動脈は時計回りの回旋操作と PULL 操作で追従できます（**写真 11**）。

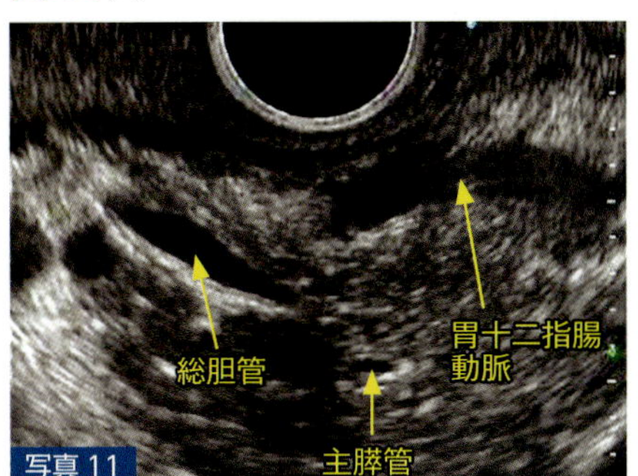

写真 11

2-2 固有肝動脈は反時計回りの回旋操作と PUSH 操作で追従できます（**写真 12**）。

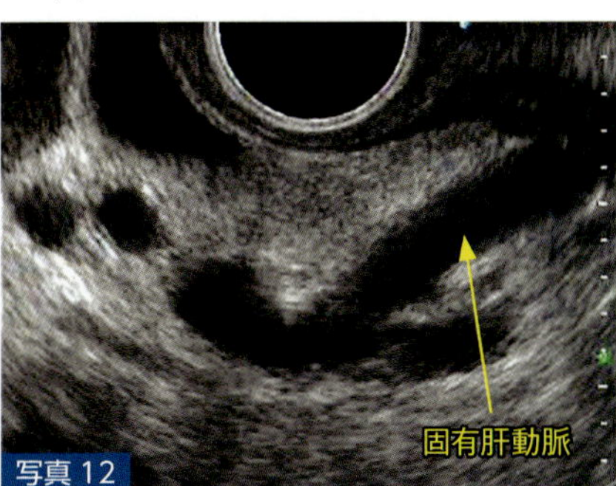

写真 12

3 **2-2** の固有肝動脈の追従を続けると左肝動脈が画面下方向に離れていきます（**写真 13**）。

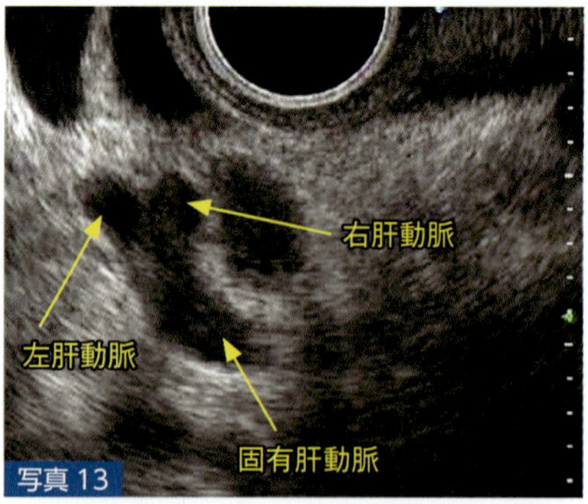

右肝動脈
左肝動脈
固有肝動脈

写真 13

4 その後，右肝動脈は門脈と交差し，肝外胆管と門脈の間を通過した後にさらに胆管と交差して，画面左方向へ描出されていきます（**写真 14**）。

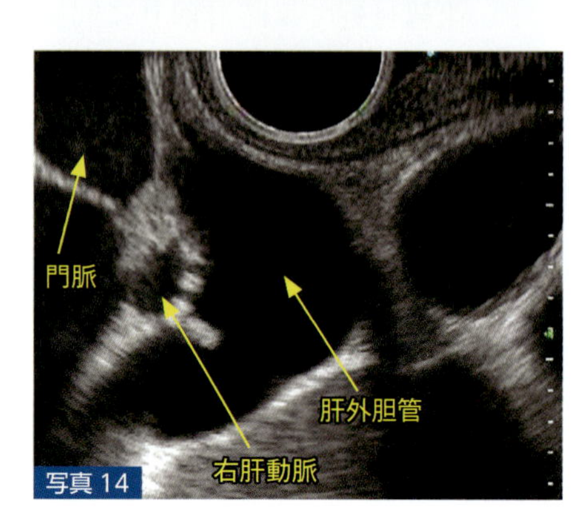

写真 14

1～**4** までの操作を 1 つの図にすると，**図 3** のようになります。

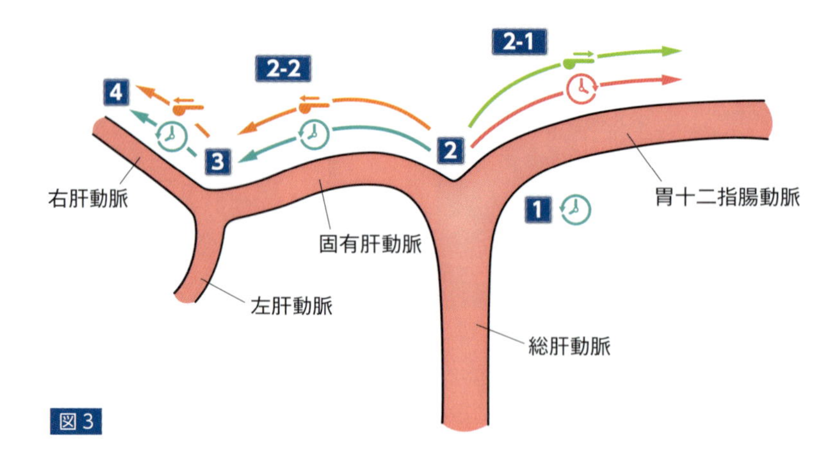

図 3

胃内操作 D1 操作観察写真のまとめ

EUS 画像ではこのように描出されます。下記の 2～4 は，57～58 頁の番号に対応しています。

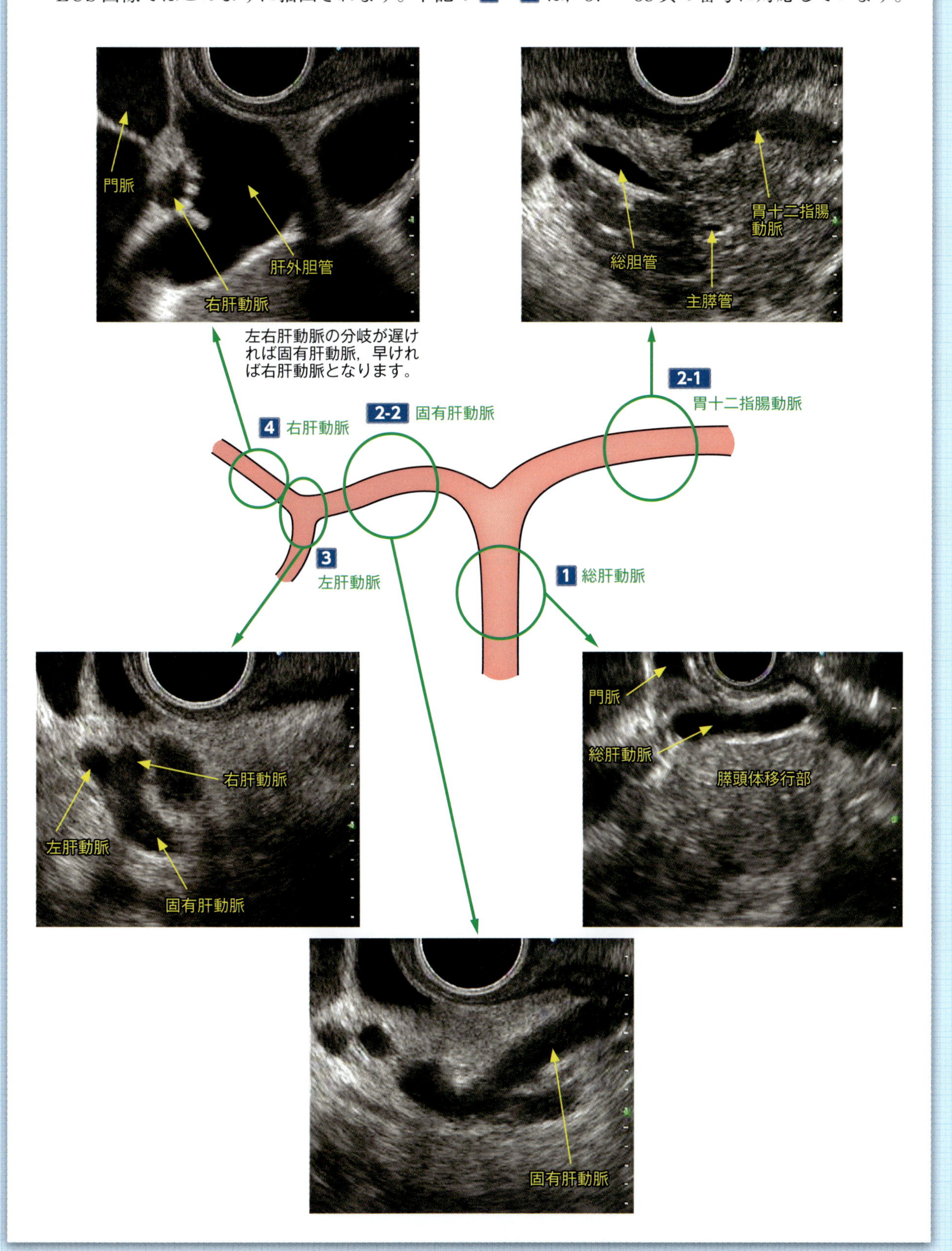

奥義　屈曲した脈管の追従方法の理解

屈曲している脈管（主膵管，血管など）を追従するときは，スコープの PUSH・PULL 操作および回旋操作を組み合わせて追従します。下図の屈曲した脈管モデルで考えてみましょう。

1．脈管モデルの A（図 4-1）を画面の 5 ～ 7 時の間に位置させます（図 4-2）。このとき EUS 画像では，A は短軸像に描出されています。

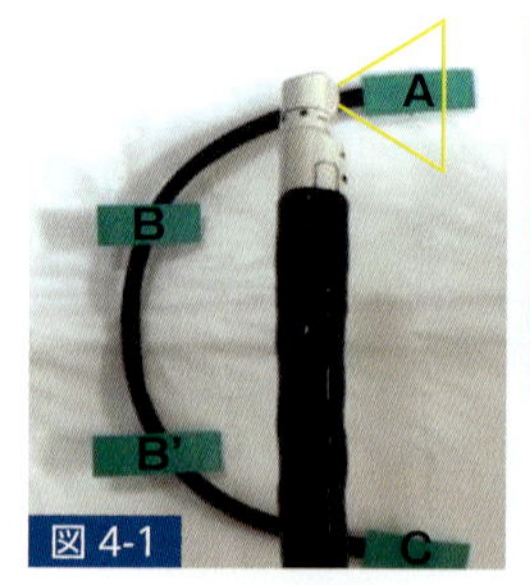

図 4-1

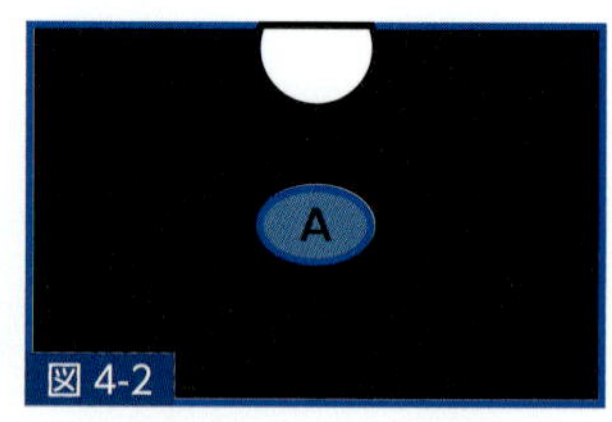

図 4-2

2．時計回りに追従し，B に到達します（図 5-1）。このとき EUS 画像では，B はやや長軸像に描出されてきます（図 5-2）。

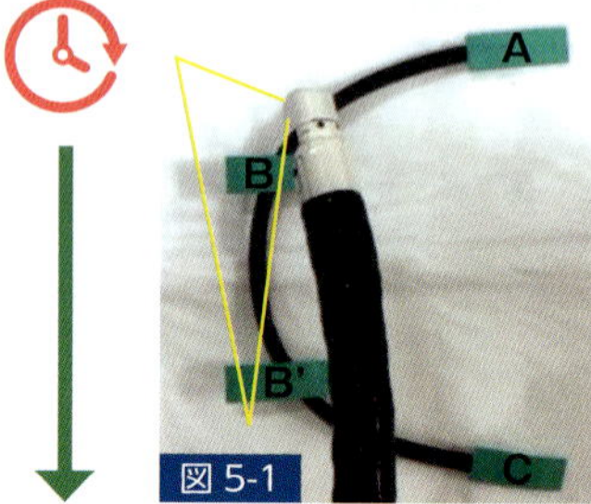

図 5-1

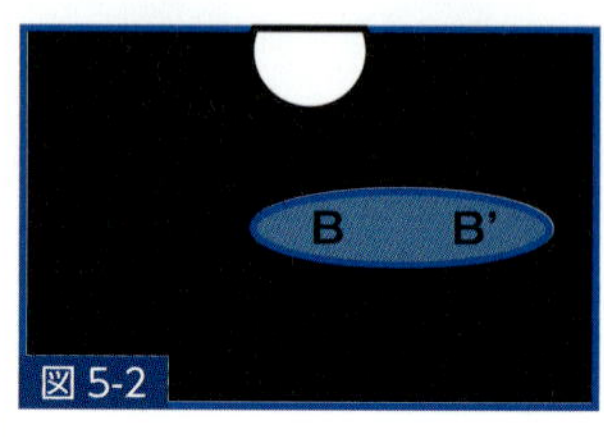

図 5-2

3．PULL 操作で B から B' に追従します（図 6-1）。このとき EUS 画像では，長軸像に描出された B' が描出されてきます（図 6-2）。

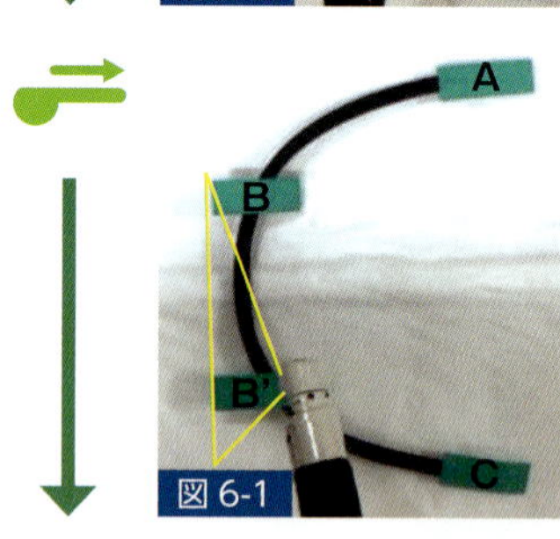

図 6-1

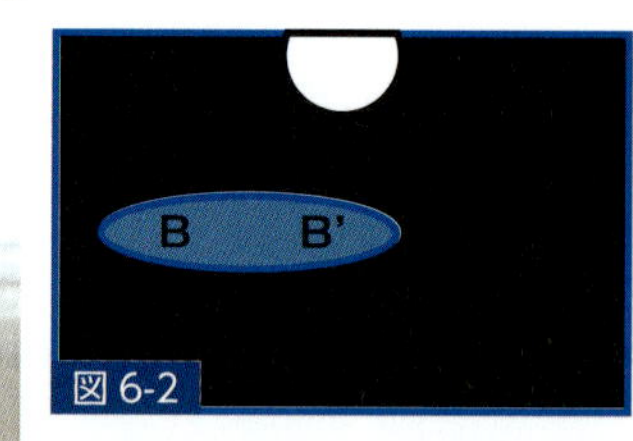

図 6-2

4．さらに反時計回りに追従し，C に到達します（図 7-1）。このとき EUS 画像では，C が短軸像に描出されてきます（図 7-2）。

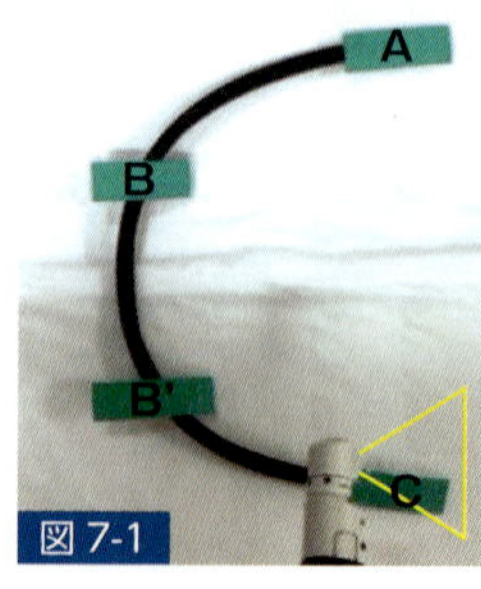

図 7-1

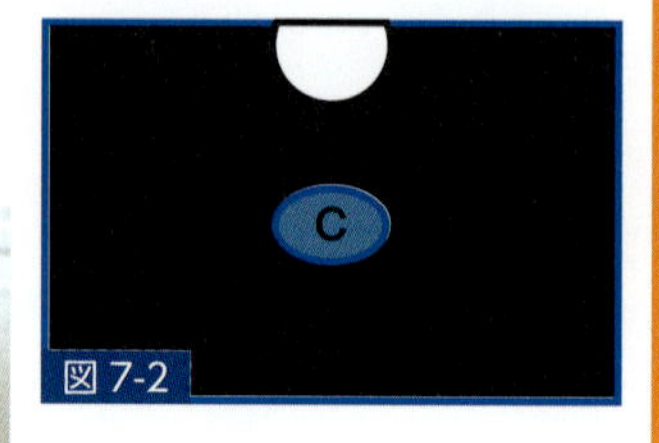

図 7-2

上記のように，追従する対象（脈管）を画面の 5 ～ 7 時の間に位置させ追従することにより，屈曲した脈管であっても，安定した描出が可能となります。

第5章 縦隔観察

(時間：3分35秒)

描出する臓器 下大静脈，右房，左房，左室，上行大動脈，肺動脈，腕頭動脈，左総頸動脈，左鎖骨下動脈

メルクマーク 下大静脈

Point 縦隔観察は主に食道での操作になります。この操作は縦隔リンパ節の穿刺などに役立ちます。操作中の注意点としては，アップアングルをかけすぎると気管支を圧迫し，むせてしまいます。そうなると検査が困難になりますので，アップアングルのかけすぎに注意が必要です。

1 基本操作は，反時計回りとPULL操作になります。

2 肝外門脈を描出します（10頁Step3 **5** 参照）。そこから時計回りに回旋すると下大静脈が描出されます（10頁Step3 **6**）。下大静脈が描出されたらPULL操作で肝上縁を描出しましょう（**写真1**）。同部位のプローブと周囲臓器の位置関係をCTで表すと，**写真2**になります。ここがスタート地点になります。

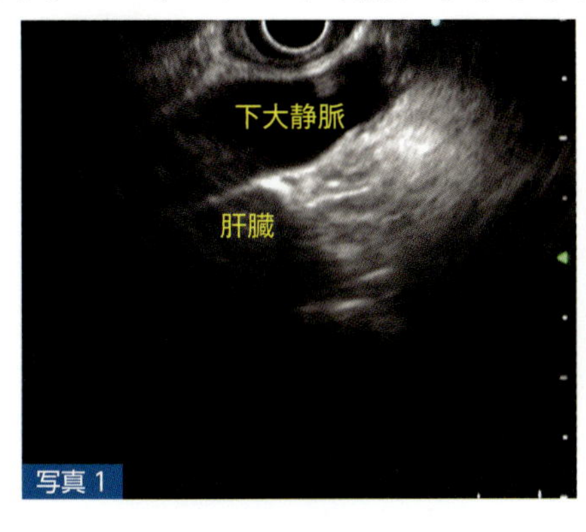

写真1

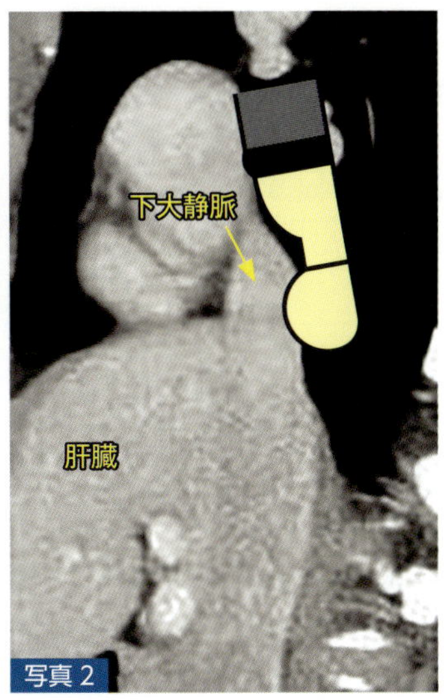

写真2

CT矢状断

3 さらに引き抜くと，下大静脈は右房へと入っていくのが描出されます（**写真3**）。

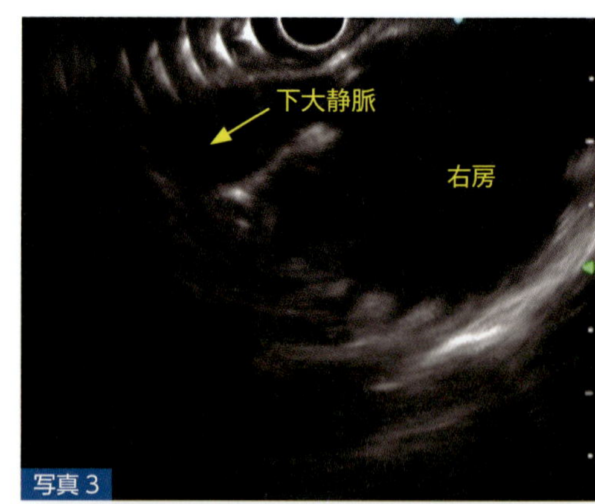

4 そこから反時計回りに回旋していくと，右房（**写真３**）→左房（**写真４**）→左室（**写真５**）の順に描出されていきます。CTで表すと，**写真６**になります。

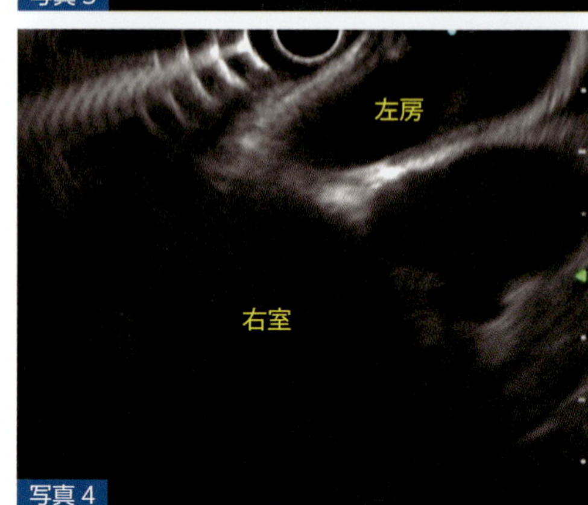

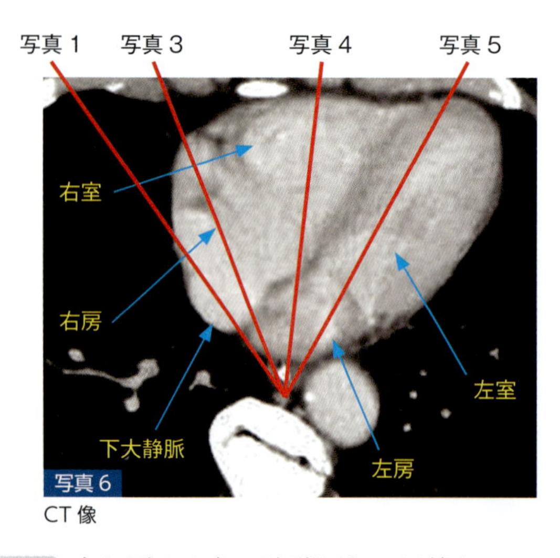

CT像

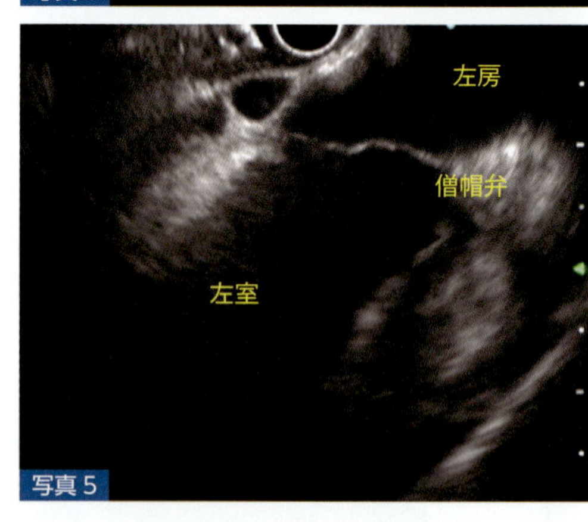

5 少し戻るように時計回りに回旋していくと大動脈弁が描出されます（**写真7**）。

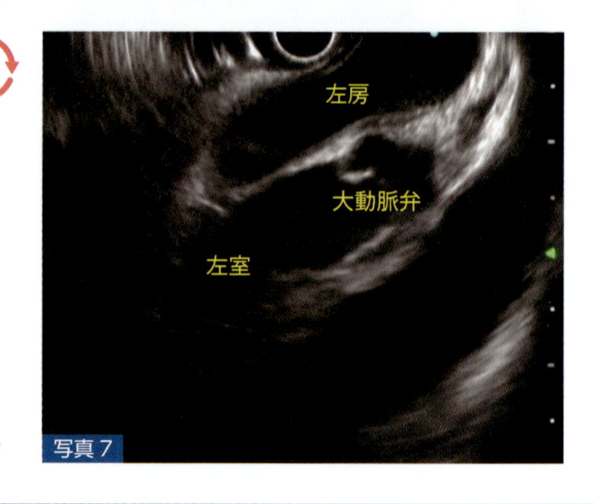

6 さらに時計回りに回旋すると上行大動脈が描出されます（**写真 8**）。

写真 8

7

7-1 **6** の位置から少し時計回りに回旋すると肺動脈が描出されます（**写真 9**）。

写真 9

7-2 **6** の位置から反時計回りに回旋しながら，PULL 操作を加えると気管支の空気が確認できます（**写真 10**）。

写真 10

8 **7-2** からさらに反時計回りに回旋すると，上行大動脈と肺動脈が描出されます（**写真 11**）。その間がいわゆる A-P window になります。

写真 11

9 さらに反時計回りに回旋しながら，PULL 操作を加えると上行大動脈から腕頭動脈（**写真 12**），左総頸動脈（**写真 13**），左鎖骨下動脈（**写真 14**）の順に分岐していくのが描出されます。

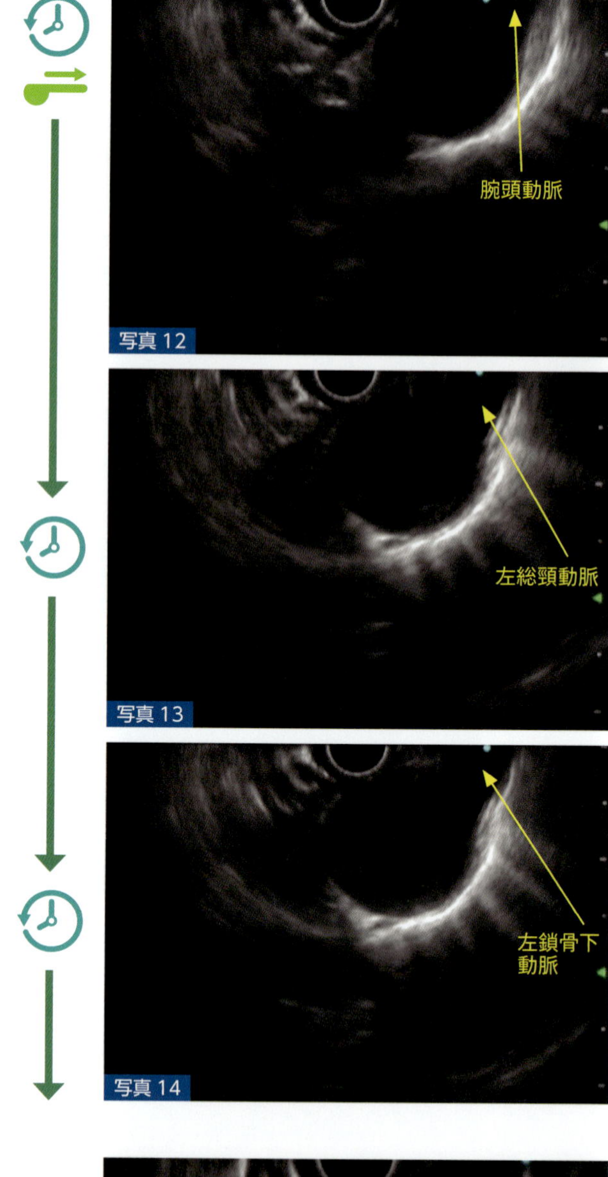

写真 12
写真 13
写真 14

10 さらに反時計回りに回旋すると下行大動脈となります（**写真 15**）。

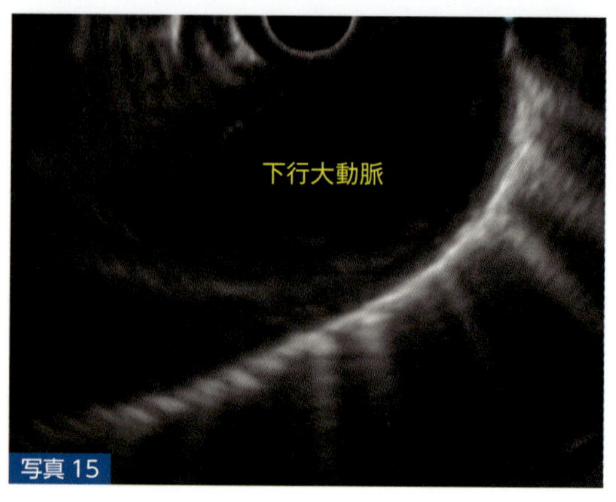

写真 15

第6章 EUS上での解剖の理解

体外式超音波検査はもともと三次元である人体を二次元で表現する検査であり，EUSも同様です。EUS画像を三次元に頭の中で再構築できれば周囲の臓器との関係が理解しやすくなり，習得の近道になります。しかし，もともと理解が難しいEUS画像であるうえに，それを三次元に再構築するのはさらに困難なことです。順を追って理解していきましょう。

Step 1 画像上で肝臓はどちらにあるでしょうか？

EUS検査で最初に困惑するのが，EUS画面上で肝臓は左右どちらかというところではないかと思います。基本的には，胃内操作時ならびにD2操作時は画面上，右側が肝臓側になり，D1操作時では，画面上，左側が肝臓側になります（**図1**）。なぜなら，プローブ先端が常に画面左側になります（**図2**）。そのため，プローブ先端が足側に向く胃内操作時，D2操作時は画面右側が肝臓側になり（**写真1：B**），プローブ先端が頭側を向くD1操作時は画面上，左側が肝臓側になります（**写真1：A**）。この位置関係が無意識に理解できるようになることを目指します。

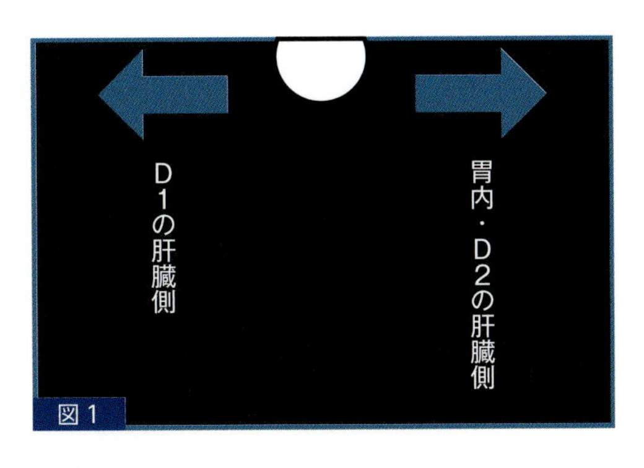

図1

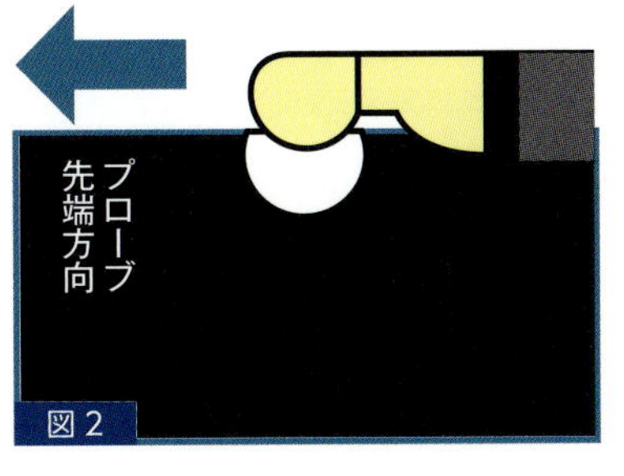

図2

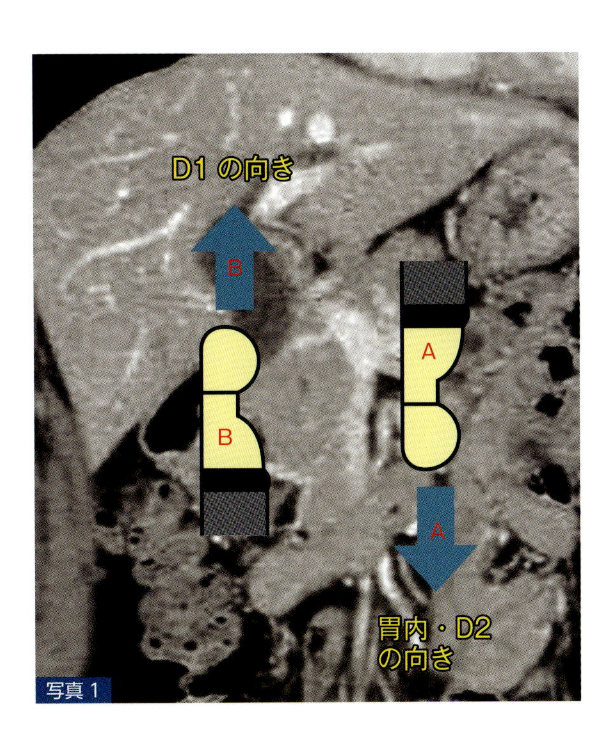

写真1

Step 2　反転していても見えているものは同じもの！

次に EUS 画面と体内のプローブの位置との関係について理解していきましょう。EUS では時に同じ部分を別方向から観察することがあります。その際に反転像である影響で，あたかも違うものを見ている感覚になりがちです。違うものを見ているのではなく，反転していても同一のものとして認識することが重要になります。 コンフルエンスの描出を例にあげます。**写真２**は胃内操作でのコンフルエンスの EUS 像です。**写真３**は D1 操作でのコンフルエンスの EUS 像です。**写真２**と**写真３**を対比することで描出されるものは反転しているものの，基本的に同じものが描出されていることがわかります。その理由は，**写真４**で示すように体内でのプローブの向きが異なるためです。これが体内でのプローブの位置と EUS 画面の関係の理解につながると考えています。

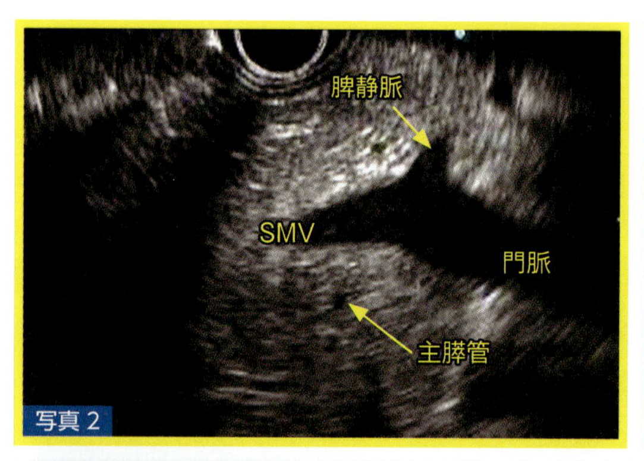

写真２

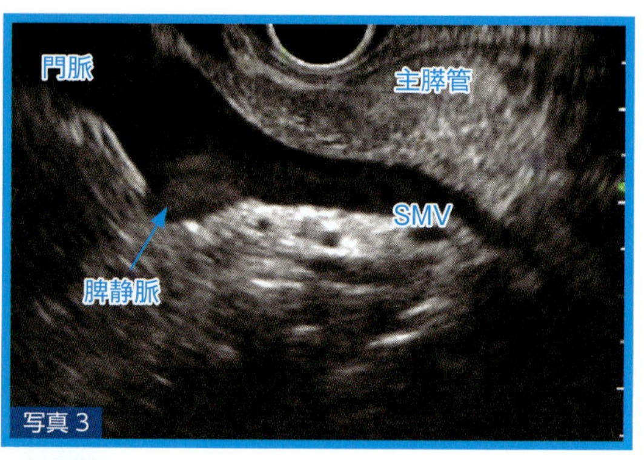

写真３

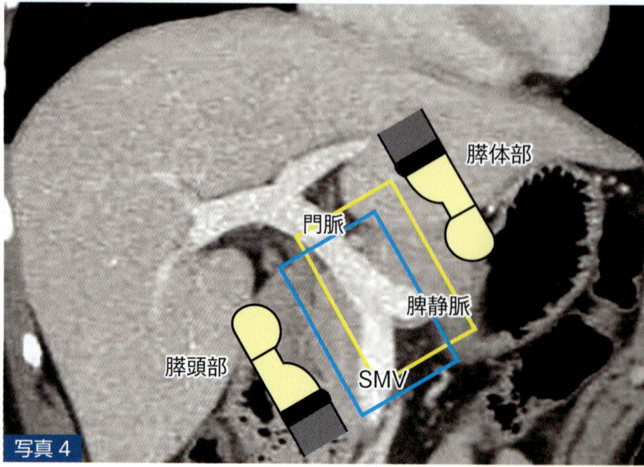

写真４

写真４の黄四角は写真２に，
写真４の青四角は写真３に対応しています

Step 3 この画面の外には何がある？

次に EUS 画像と周囲臓器との関係について理解していきましょう。それにより EUS 画像の理解が深まると思います。Step2 で EUS 画面と体内のプローブの位置の関係性を理解したところで，EUS 画像を CT 画像を対比して表現してみます。肝門部を例にあげます。**写真 5** は胃内から見た肝門部の EUS 画像になります。**写真 6** はこのときのプローブから出るエコービームを示しています（赤矢印）。**写真 6** のエコービームで描出される断面を CT で表したものが**写真 7** です。**写真 8** は**写真 7** を回転，反転させて，**写真 7** のプローブ位置を**写真 5** の EUS 画像のプローブの位置とそろえたものになります。EUS で観察される**写真 5** の画像とその画像を含むさらに広い範囲を描出している**写真 8** の CT 画像と比べてください。**写真 8** の青四角で囲んだ範囲は**写真 5** で観察される範囲を示しています。これらを見比べると，EUS 画像で描出されている画像（**写真 5**）の外に広がる臓器，脈管などとのつながり（**写真 8**）を推察できると思います。この例では EUS で肝外門脈を足側に追従すれば，コンフルエンスや膵臓が描出されてくることが**写真 8** の CT 画像で予測することができます（12 頁「トラブルシューティング」参照）。

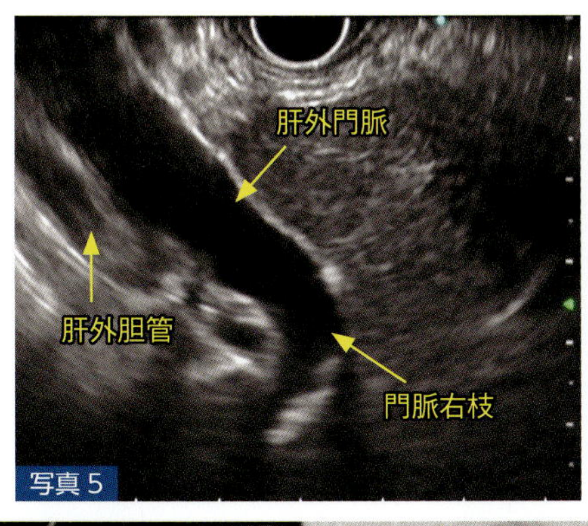

写真 5

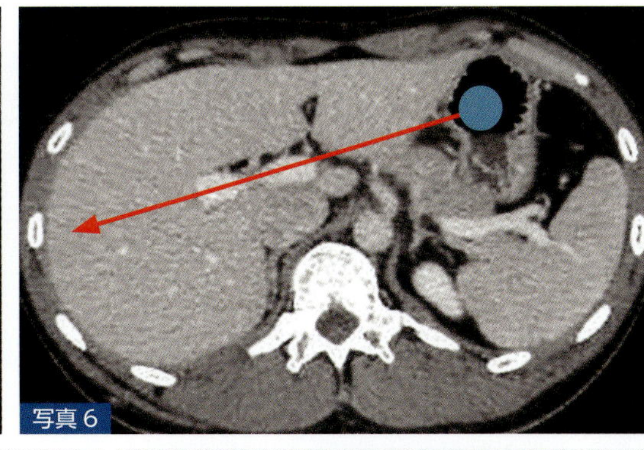
写真 6

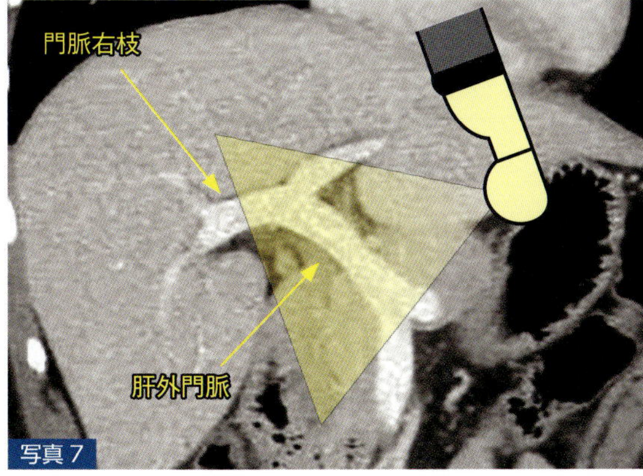

写真 7

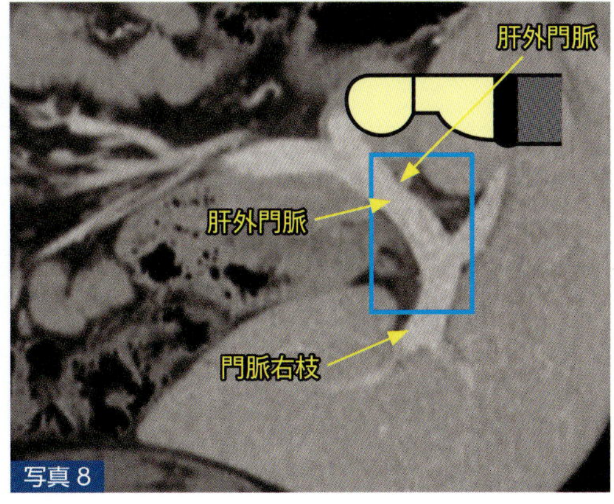

写真 8

Step 4　これであなたも達人！

Step3 まで理解できたら，応用してみましょう。ほかのメルクマールになる部位でも同じように考えると，周囲の臓器との関係性が理解できるかと思います。そうすることで，スクリーニングや精査の際の追従操作や，一度観察臓器を見失っても再描出がスムーズになります。また，CT で指摘された病変が，EUS で描出が可能か，EUS ではどう描出するか，EUS 画面にはどのように見えるのかといったことが施行前に想定できるようになると思います。チャレンジしてみましょう。

第7章 術後腸管

術後腸管症例にもEUSは有用です。

EUSで最低限見える範囲と見える可能性のある範囲を知っておくことが重要になります。それぞれの特徴を理解し，観察可能な部位を覚えていきましょう。

Case Billroth-Ⅰ法

特　徴：胃前庭部，十二指腸球部は切除後です。

注意点：D1操作ができないため，胆道系の精査の際は制限が生じます。膵臓を含め，ほかはほぼ通常どおりに観察可能です。

観察可能範囲

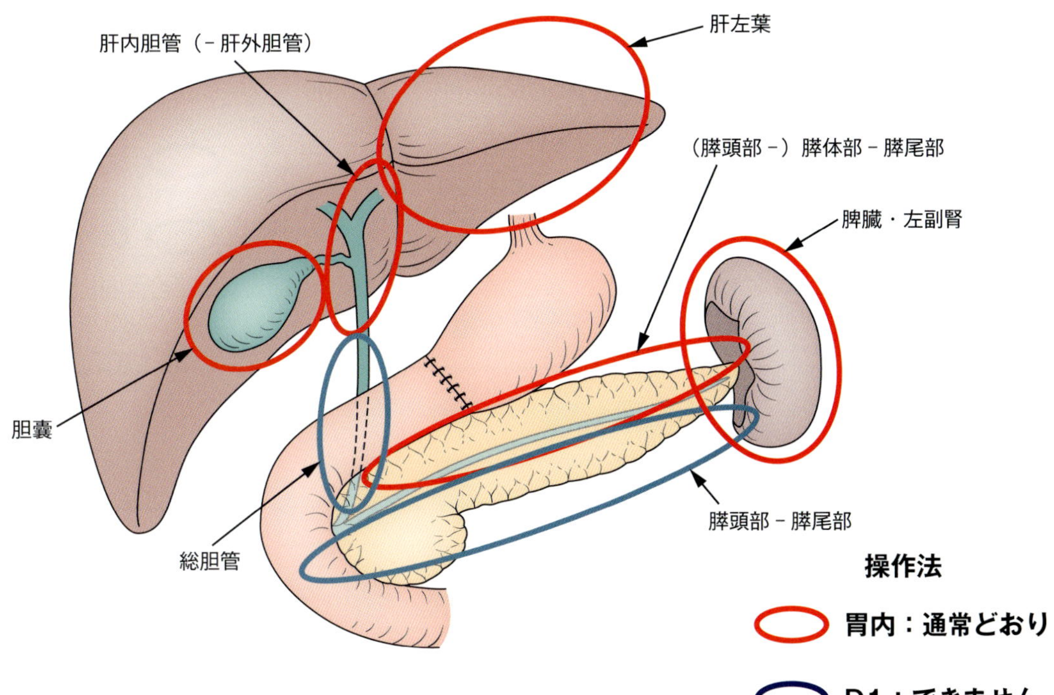

Case　Billroth-Ⅱ法

特　徴：胃前庭部，十二指腸球部は切除後です。十二指腸下行部には到達困難です。

注意点：基本的には胃内操作のみのため，胆道系の精査，膵頭部の精査には制限が生じます。

観察可能範囲

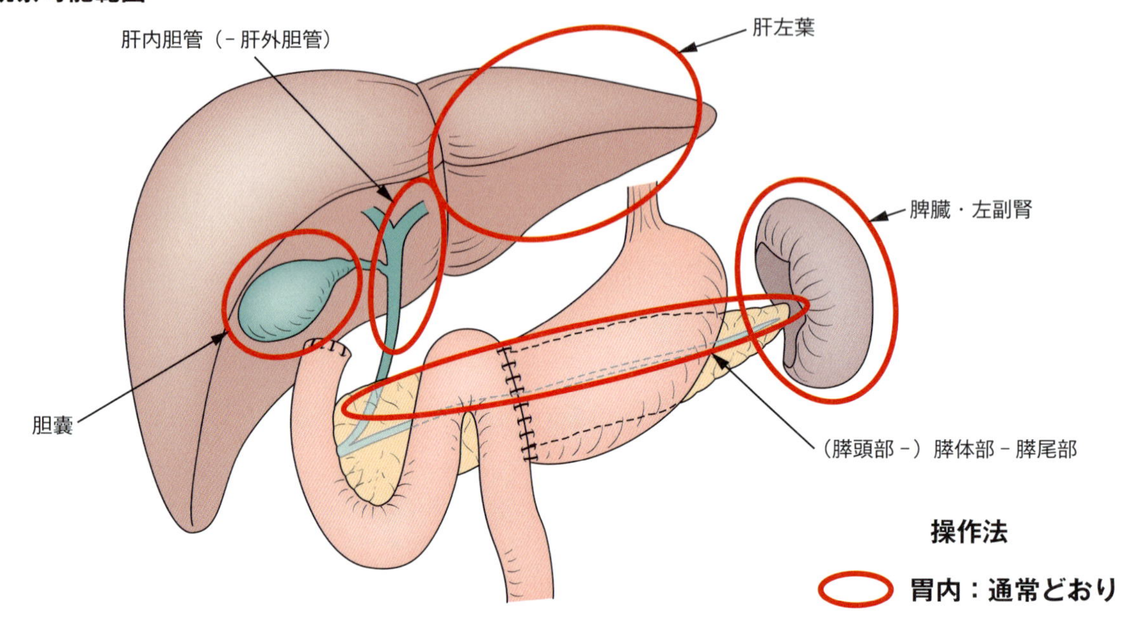

操作法

胃内：通常どおり

D1：できません

D2：できません

Case 胃全摘

特　徴：胃は全摘され，挙上空腸にて再建されています。十二指腸には到達困難です。

注意点：胃と再建挙上空腸では形状が異なりますが，再建挙上空腸内で胃内操作とほぼ同様の操作（9頁Step3参照）により胃内の通常観察とほぼ同様の観察ができます。しかし，脾臓や膵尾部末端は近接しての観察が困難なこともあるので注意しましょう。操作のポイントとしては，いったん食道空腸吻合部から盲端でない空腸側に挿入した後，PULL操作にて肝左葉を描出し，観察を開始します。

観察可能範囲

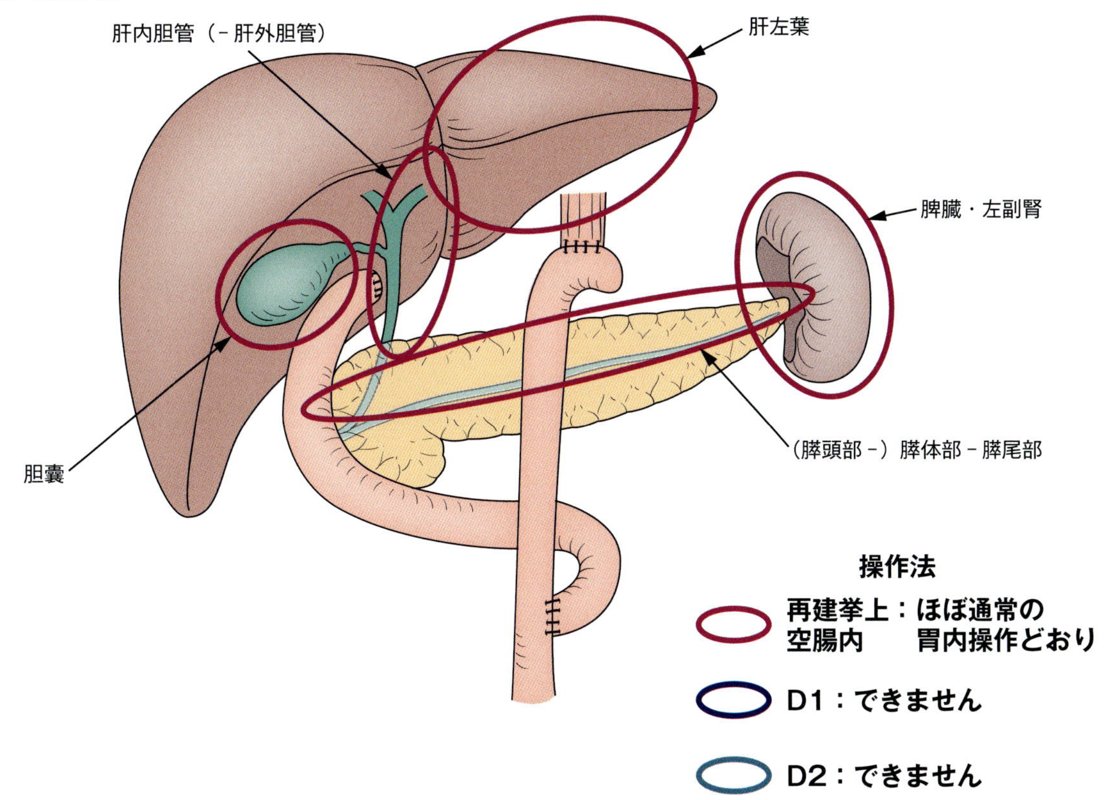

Case 胆管空腸吻合

特　徴：肝外胆管，胆嚢が摘出後です。

注意点：膵内胆管，肝外胆管，胆嚢以外はほぼ通常どおり観察が可能です。

観察可能範囲

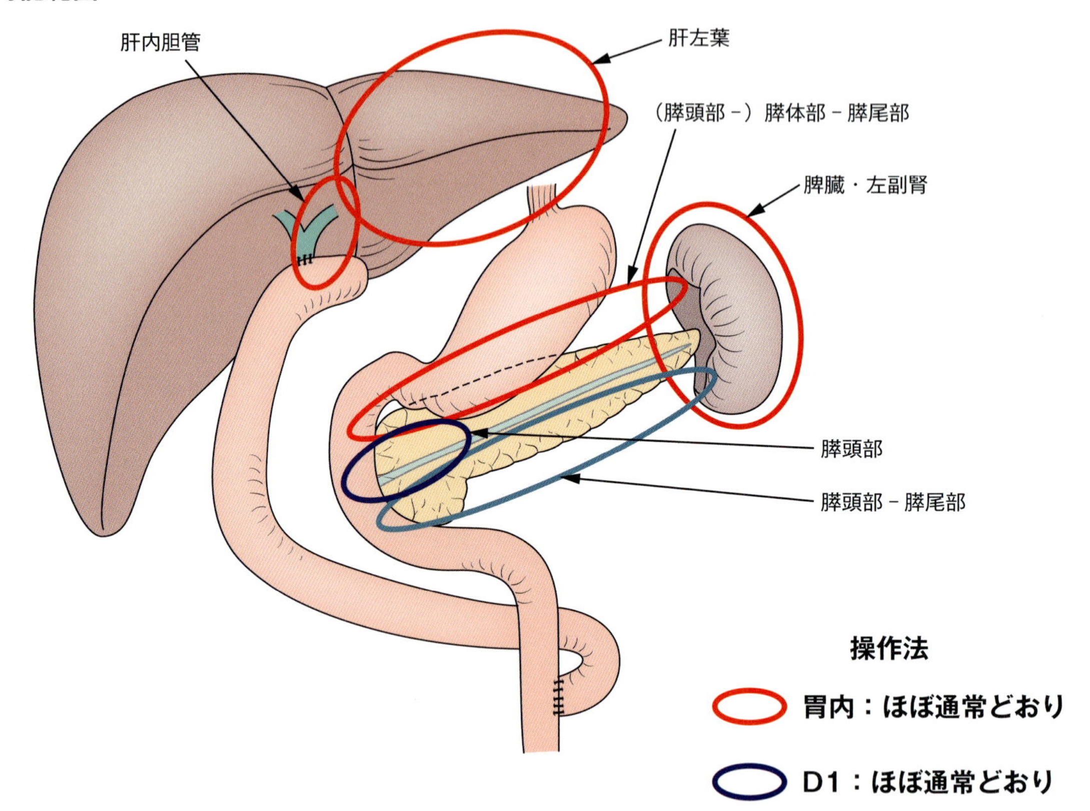

Case 膵頭十二指腸切除

特　徴：幽門側胃切除後の Billroth-Ⅱ法再建症例に類似しますが，膵頭部および十二指腸は切除後です。

注意点：膵臓の切除位置によっては，膵体部描出の際に腹腔動脈からのダウンアングルと PUSH 操作（10 頁 Step3 **7**〜参照）では描出困難なことがあります。その際は脾動静脈や脾臓（12 頁「トラブルシューティング」，19 頁「トラブルシューティング」参照）をメルクマールにして膵臓を描出できます。

観察可能範囲

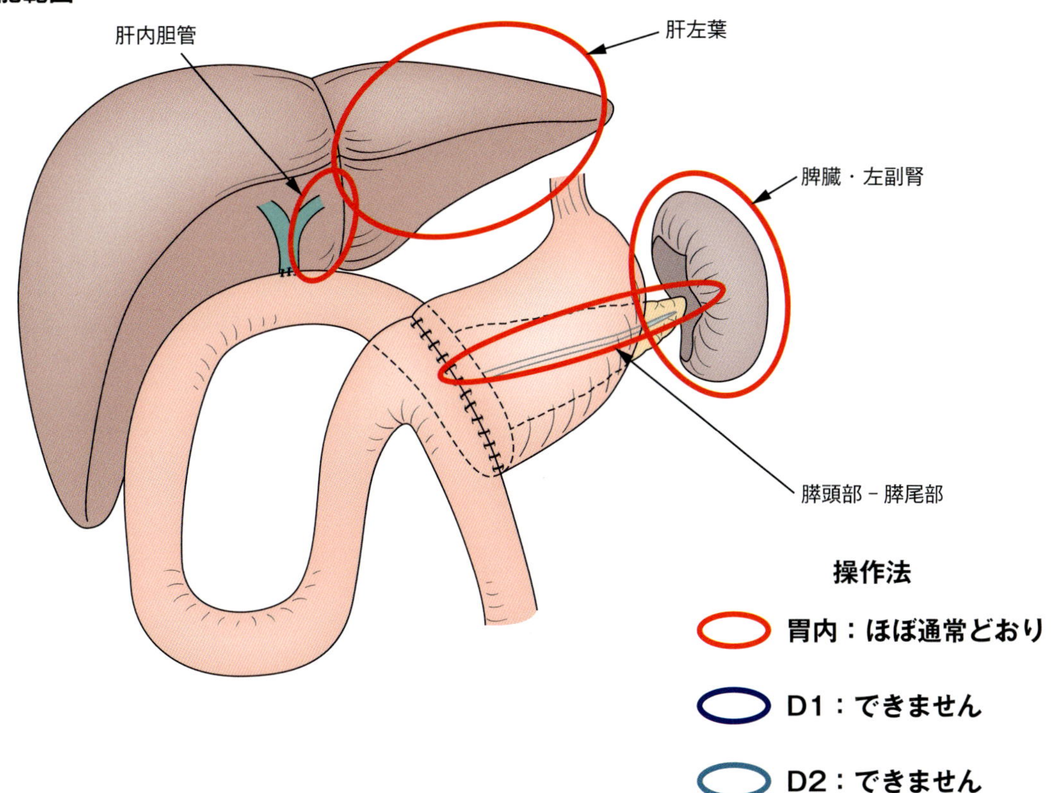

第8章 EUS-FNA

第7章まででコンベックス型EUSによる腹腔内の各臓器の描出に関しては完璧になったと思います。コンベックス型EUSの強みの一つは**表1**に示すような，多彩な診断・治療手技，interventional EUSを行えることです。

これらのinterventional EUSは胆膵疾患の診断および治療法としての重要性と有用性は非常に高く，EUSを実施する内視鏡医にとってはぜひともマスターしたい手技です。

しかし，これほど多くの種類のinterventional EUSの手技名があると，はたしてすべてをマスターできるのか？疑問に思われるかもしれません。しかし，どの手技も肝心な点は，「穿刺対象（病変）の確実な描出」と「穿刺対象（病変）の確実な穿刺」の２点です。この２点はすべてのinterventional EUSの手技に共通するものであり，この２点をしっかりマスターすれば自ずと多くのinteventional EUSを容易にマスターすることができます。

そこで本章では，interventional EUSにとって肝心なこの２点の技術，「病変の確実な描出」と「病変の確実な穿刺」を，interventional EUSのもっとも基礎的手技である膵腫瘍の組織診断のためのEUS-FNAの実施方法を学ぶことでマスターしましょう。

表1

超音波内視鏡下 穿刺吸引法	超音波内視鏡下胆道ドレナージ術	
	超音波内視鏡下胆管胃吻合術	超音波内視鏡下胆管十二指腸吻合術
EUS-FNA	EUS-HGS	EUS-CDS
EUS-guided fine needle aspiration	EUS-guided hepaticogastrostomy	EUS-guided choledocoduodenostomy
膵腫瘍などの病理診断のための 試料を採取	閉塞性黄疸の治療	

超音波内視鏡下経胃膵嚢胞ドレナージ	超音波内視鏡下経胃膵管ドレナージ
EUS-PCD	EUS-PD
EUS-guided pancreatic cyst drainage	EUS-guided pancreatic duct drainage
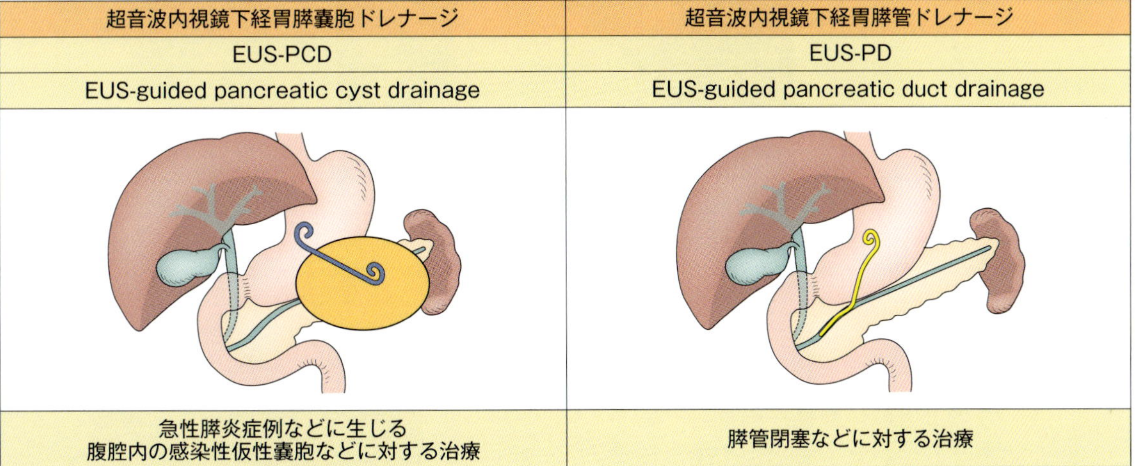	
急性膵炎症例などに生じる 腹腔内の感染性仮性嚢胞などに対する治療	膵管閉塞などに対する治療

Step 1　EUS-FNAを行う膵腫瘍の描出

まずは，膵腫瘍を描出します。胃内操作，十二指腸球部操作，十二指腸下行部操作いずれも行うことは基本的に同じです。ここでは胃内操作を例に説明していきます。

1 超音波画面の中で穿刺針が通過して穿刺できる範囲は決まっています（**図1**）。この図に示す範囲でできるかぎり超音波画面の上部に腫瘍を描出するよう心がけます。腫瘍を超音波画面上部に描出することで穿刺中の穿刺針がはっきりと描出できます。腫瘍を超音波画面上部に描出しないと穿刺針の描出が悪くなり，また穿刺経路が長くなることで穿刺中に針が彎曲しやすくなり穿刺困難になります。

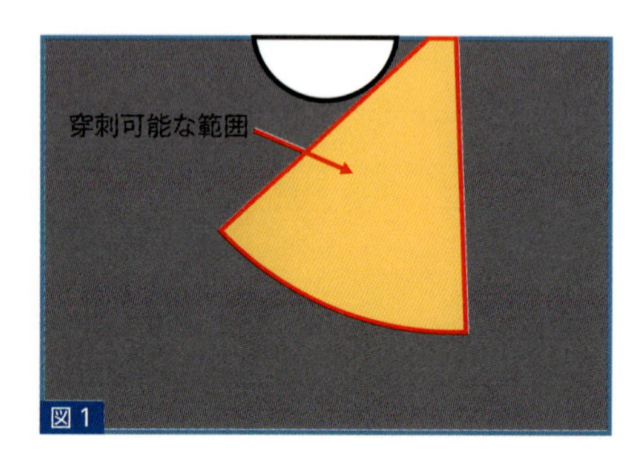

図1

2 まず第6章までで慣れ親しんだスクリーニング操作にて腫瘍を描出します。このときには腫瘍が画面のどこに描出されていても大丈夫です（**写真1**）。

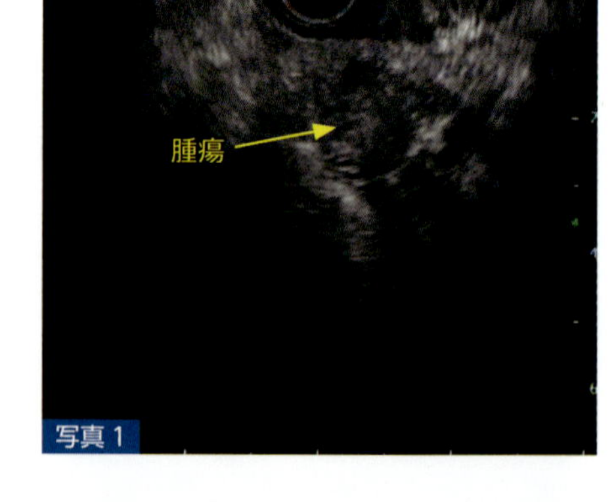

写真1

3 回旋操作により，腫瘍の全体をくまなく観察します。観察しながら，腫瘍の壊死が少ない部分を描出します（**写真2**）。

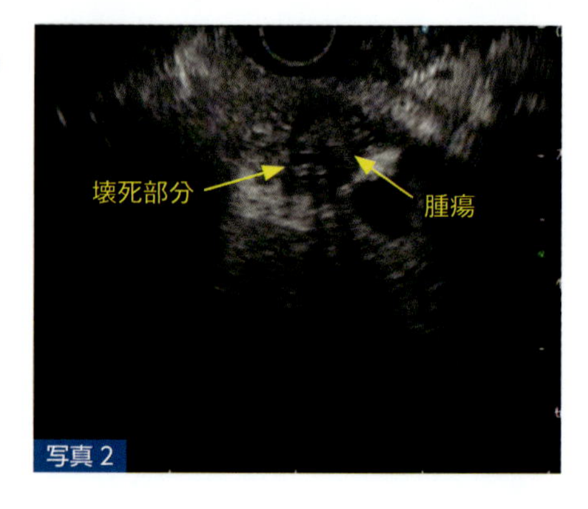

写真2

4 **3** での腫瘍の描出を維持しながら，アップアングル操作, PUSH・PULL 操作を行って，腫瘍を **1** で示したような超音波画面内で穿刺針が通過できる部位のできるかぎりの上部に移動させます（**写真 3**）。

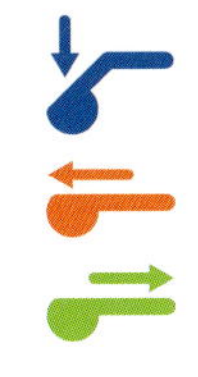

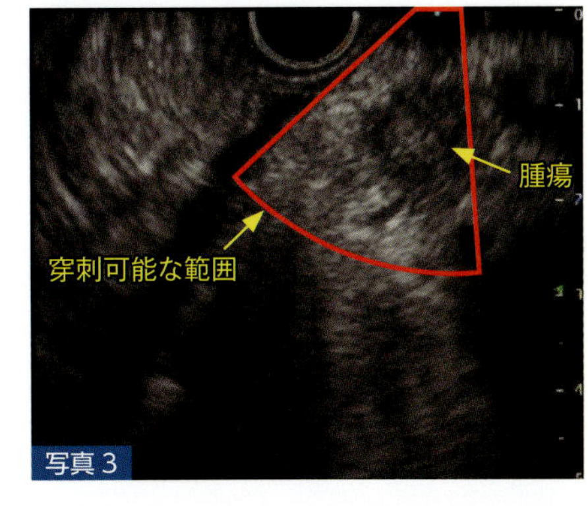

写真 3

5 最後にドップラーモードにして，穿刺針の通過を想定するライン上に血管がないことを確認します（**写真 4**）。この際にドップラーの ROI（region of interest）の範囲を刺入点まで広げておくこと（**写真 5**，黄色矢印）とフローゲインの調整（約 10 ～ 15 に設定；**写真 5**，緑丸枠）を行います。この調整で穿刺針の消化管壁刺入部から腫瘍までのライン上の血管の有無が判別しやすくなります。

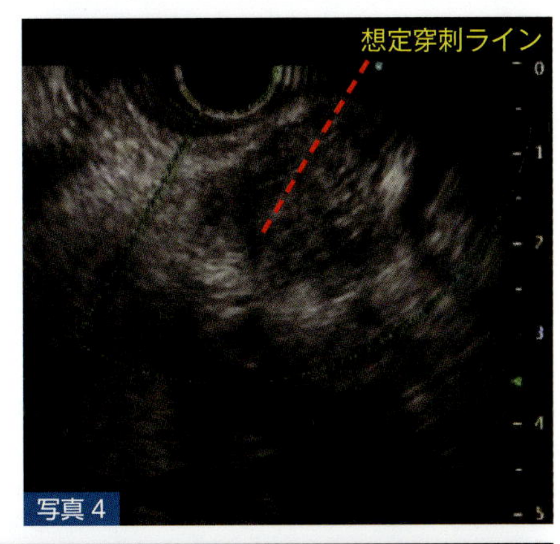

写真 4

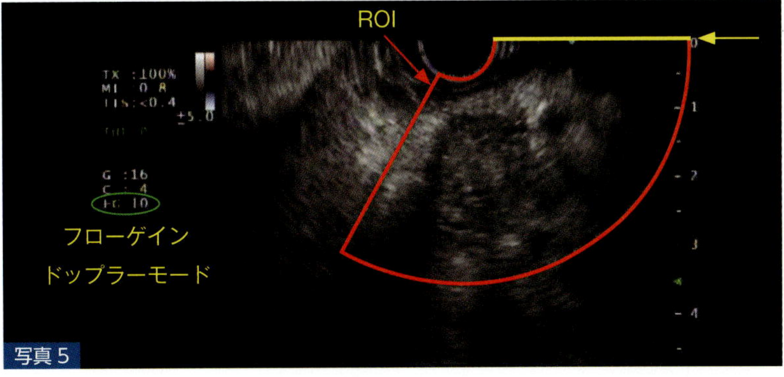

写真 5

6 **4** で腫瘍を穿刺針が通過できる部位に移動させた際に，アップアングルによりプローブが消化管粘膜を圧迫し，消化管壁内血管が押しつぶされて見えていない可能性があります。穿刺の前にいったん，ダウンアングルをかけてドップラーモードで想定穿刺ライン上に消化管壁内血管がないことを確認しましょう。

これで，穿刺のための病変病出は完了です。

＊もしドップラーモード観察で想定穿刺ライン上に血管が認められた場合には，その血管を避けて穿刺することが必要です。その場合は後述の 91 頁（3. 想定穿刺ライン上に血管を認める場合の穿刺方法）を参照ください。

Step 2　穿刺の準備（①穿刺針の選択，②穿刺針の装着）

次に穿刺を行っていきますが，ここで穿刺針の選択のために知っておくべき穿刺針の特性と穿刺針の内視鏡への装着方法を説明します。

1　穿刺針の選択（表2，表3）

針は用途にあわせて針の先端の形状，針の太さの違いで選択していきます。

表2　穿刺針の選択

	ランセット形状針	コアトラップ形状針	フランシーン形状針	フォークチップ形状針
特性	穿刺能が高い 組織採取量が少ない	穿刺能は高い 組織採取量はやや多い	穿刺能は低い 組織採取量は多い	穿刺能はやや高い 組織採取量はやや多い
注意点	—	• ストロークの際にサイドホールの位置に注意が必要 • 先端が折れる可能性があり，スタイレットを入れて針の出し入れが必要	—	• シースに穴があいてスコープを傷つける可能性があるのでスタイレットを入れて針の出し入れが必要

穿刺針写真提供：ボストン・サイエンティフィックジャパン，クックメディカルジャパン，メドトロニック

表3

A　×　B

AとBの組み合わせで針の種類と太さを選択

A

最低限の診断がつけばよい	LC>>CT = FT>FS
組織量が欲しい	FS = FT>CT>>LC
胃内からの穿刺	LC = CT>FT>FS
D1，D2 からの穿刺	FS=FT=CT=LC
腫瘍が大きい	FS=FT=CT=LC
腫瘍が小さい	LC>FT>FS>CT

B

最低限の診断がつけばよい	25G>22G>19G
組織量が欲しい	19G>22G>25G
胃内からの穿刺	25G = 22G>19G
D1，D2 からの穿刺	25G>22G>19G
穿刺範囲が広い	25G=22G=19G
穿刺範囲が狭い	25G>22G>19G

LC：ランセット形状針，CT：コアトラップ形状針，
FS：フランシーン形状針，FT：フォークチップ形状針

1）穿刺針の形状の選択

まずはじめに針の先端の違いを説明します。針先は，大きく分けてランセット形状針，コアトラップ形状針，フランシーン形状針，フォークチップ形状針などがあります（表2）。

(1) ランセット形状針

注射針のような先端ですので切れ味は優れます。その反面，腫瘍組織採取能はほかの針と比べて弱くなります。

(2) コアトラップ形状針

ランセット形状針と同様の先端で，切れ味は優れます。一方，針の側面に施された穴（サイドホール）についている順刃や逆刃で組織を崩しながら採取していくため組織採取能は良好です。しかし，針の先端とサイドホールいずれも同時に腫瘍内に位置する状況で腫瘍組織を採取〔ストローク（95頁Step5参照〕する必要があるので，比較的サイズの大きな腫瘍の穿刺に用います（図2）。

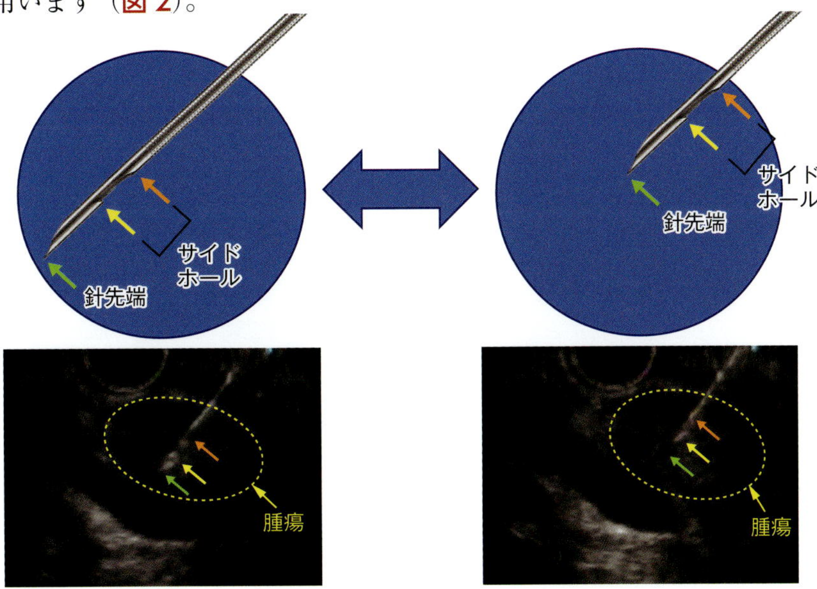

針先端とサイドホールが腫瘍から出ないようにストロークする

図2

(3) フランシーン形状針

針の先端が3つある形状です。この3つの針先で組織に入っていくため，力が分散し，切れ味は悪くなります（図3a）。その反面，組織を筒状にくり抜くので組織採取能は高いです。

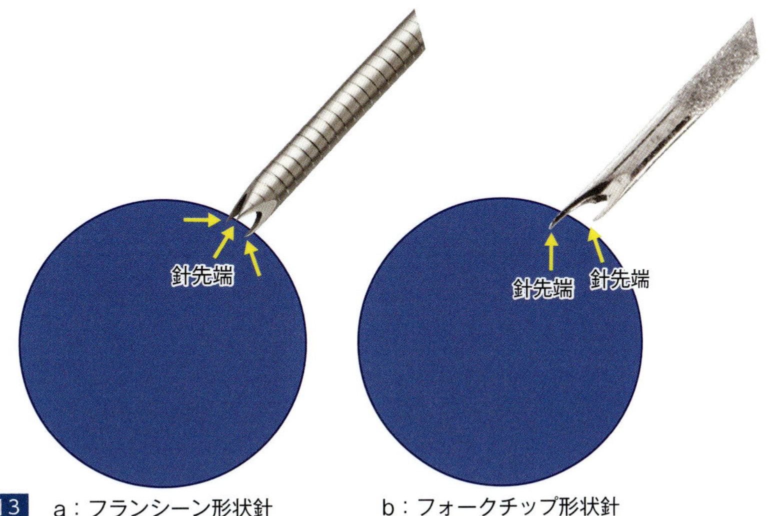

図3　a：フランシーン形状針　　b：フォークチップ形状針

(4) フォークチップ形状針

フランシーン形状針のように針の先端が複数ありますが，その1つの針先だけ長い形状になります。そのため，フランシーン針と比較すると穿刺能は高くなります（図3b）。また組織を筒状にくり抜くので良好な組織採取が可能です。

2）針の太さの選択

次に針のサイズを選択していきます。ここでは使用頻度の高い19ゲージ，22ゲージ，25ゲージに関して説明します。

当然のことながら，太いほうが硬くなります。針の硬さは鉗子挙上装置を用いたときの針の出る範囲とスコープにかけられるアップアングルの角度に影響します。つまり細い針のほうが穿刺可能な範囲は広いです（図4）。一方で太い針のほうが採取組織量は増えます。ちなみに，一般的に22ゲージが用いられることが多いです（図5）。

EUS-FNAの際は，それぞれの針の特徴と描出の状態，穿刺の難易度そして求められる組織の量や質を加味して選択します（表3）。

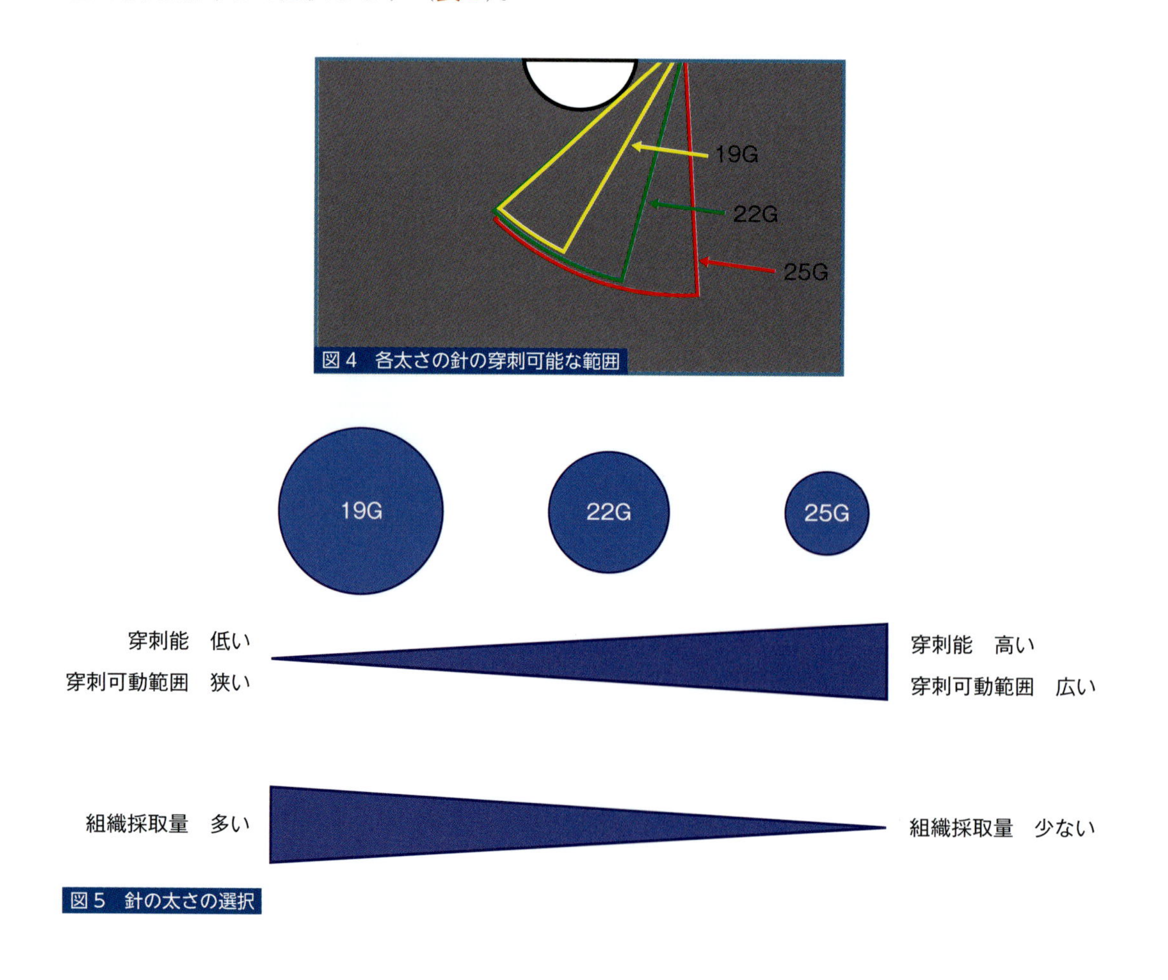

図4　各太さの針の穿刺可能な範囲

図5　針の太さの選択

❷ 穿刺針の装着

穿刺針の外装にも違いがあります。シース（外筒）や針を固定するロックが，ねじ式固定ロック（アジャスターねじ）のもの（**写真 6a**）とダイヤル式固定ロック（ツイストロック）のもの（**写真 6b**）があります。使用に大きな違いはありませんが，ねじ式固定ロックは後述の内視鏡に装着の際に一工夫必要になります。

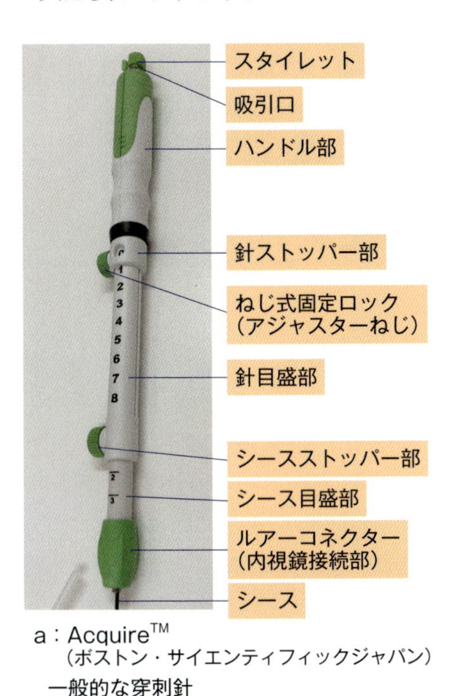

a：Acquire™
（ボストン・サイエンティフィックジャパン）
一般的な穿刺針

ダイヤル式固定ロック
（ツイストロック）

b：Topgain®
（メディコスヒラタ）

写真 6

(1) まず，穿刺針を内視鏡にセットします。

▶動画 47
（時間：31 秒）

穿刺針装着前に通常は，シースの固定ロックを 2cm の位置に固定しておきます（**写真 7**，矢印）。

鉗子栓を外して鉗子口からシースを挿入し（**写真 8 左**，緑矢印），内視鏡接続部を鉗子口に接続します。固定ロックがねじ式（アジャスターねじ）になっているものでは，アジャスターねじが術者の右手側に位置するように接続することが必要です。そのためには，内視鏡接続部を鉗子口に接続するときに最初にアジャスターねじが術者側に向いた位置からハンドル部を回転させて接続すると（**写真 8 中央**，青矢印），術者が右手で固定ロックを操作しやすい位置にセッティングされます（**写真 8 右**，青矢印）。

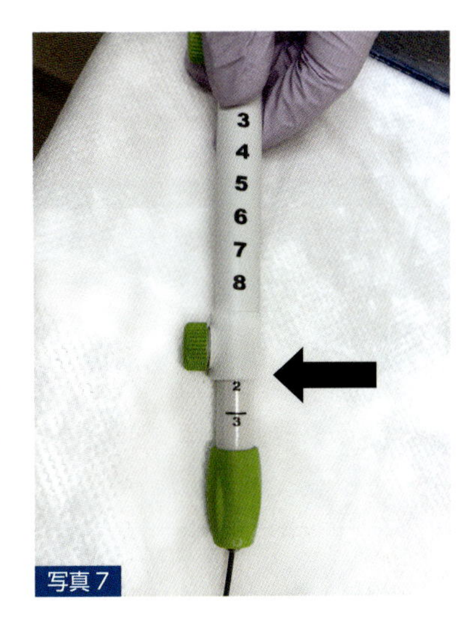

写真 7

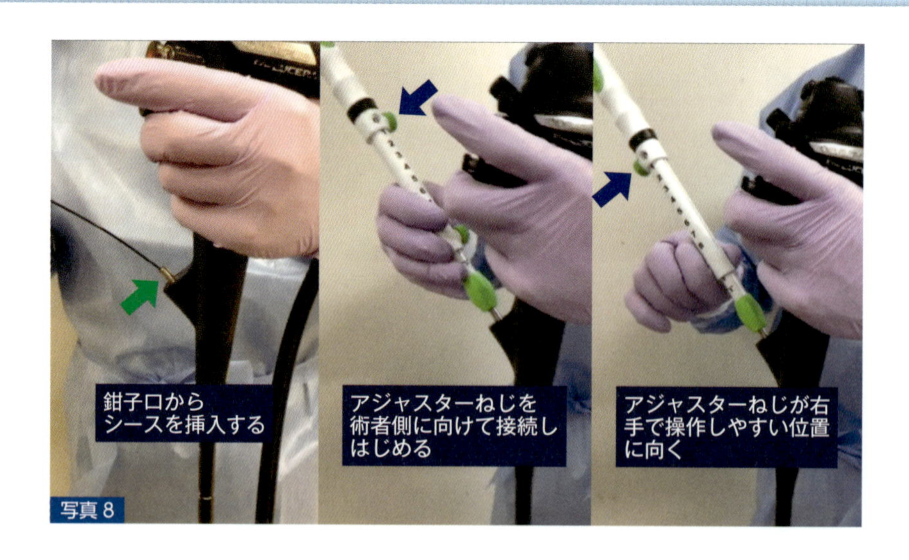

写真 8

(2) 次に，内視鏡画面，もしくは超音波画面上でシースがスコープ先端の鉗子口から出ていることを確認します（**写真 9，10**）。超音波画面上，シースが見づらければシースを少し長く出すようにします（**写真 11**）。このとき，鉗子挙上装置でシースを挙上するとシースが消化管粘膜などに引っかかってしまう場合（**写真 12**）には，シースを少し引き抜きます。

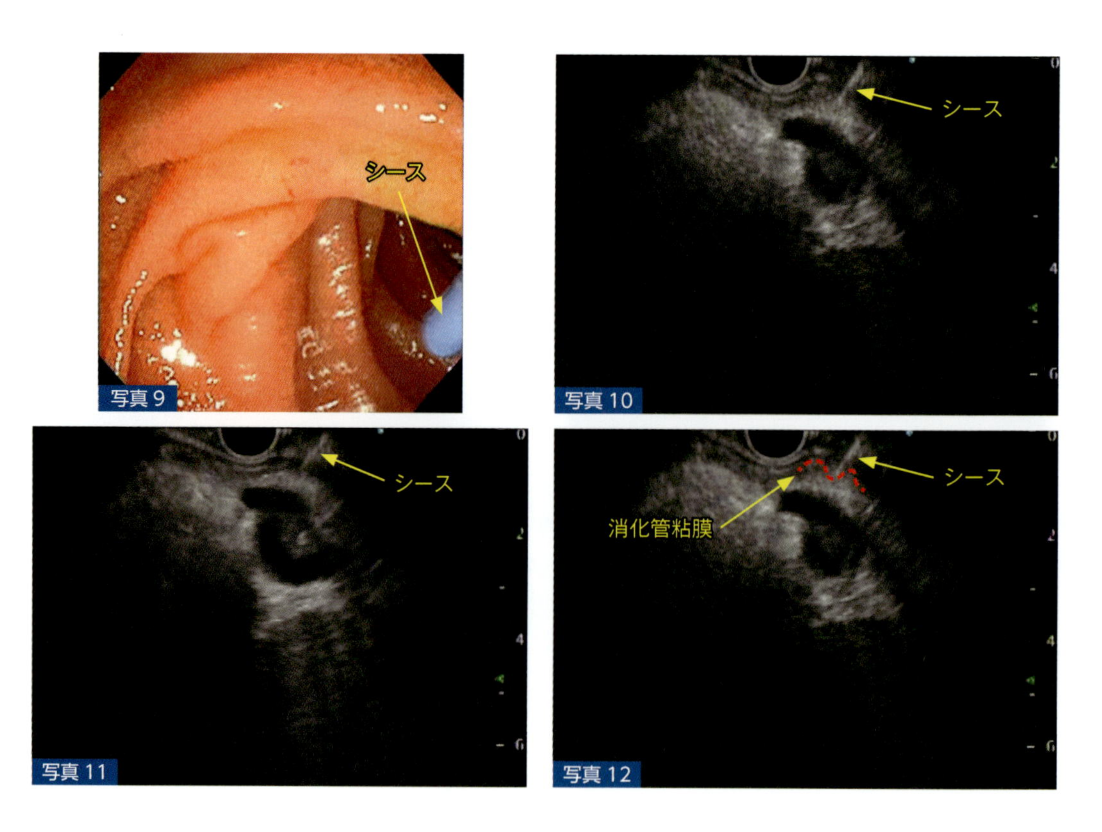

写真 9　写真 10　写真 11　写真 12

シースが消化管粘膜に引っかかっているときのサイン

①超音波画面上で消化管粘膜の下の低エコー層（筋層）がたわみます。

②消化管粘膜とプローブの間に空気が入るため，超音波画面上でシース周囲の描出がわるくなります。

③鉗子挙上装置でシースを挙上しようとしても，超音波画面上ではシースが挙上されません。このとき，手元の鉗子挙上装置の動きは硬く感じます。

(3) スタイレットは針先から少し飛び出ていますので（**写真 13a，＊**），スタイレットを少し引き抜きます（**写真 13b，c**）。スタイレットがそのままだと穿刺できませんので注意が必要です。5mm ほど引き抜けば大丈夫です（**写真 13c**）。

（時間：41 秒）

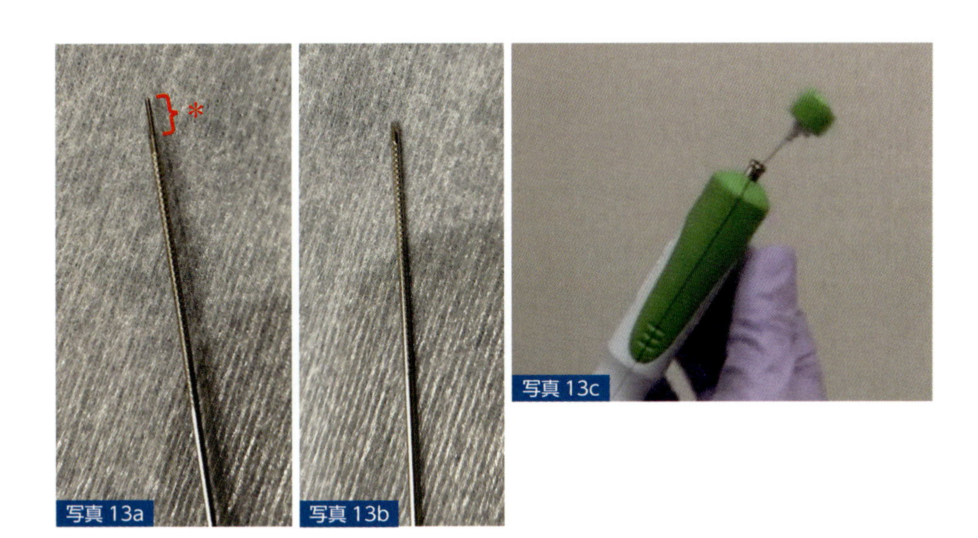

写真 13a　写真 13b　写真 13c

Step 3 穿刺時の画像描出：スコープの固定，画像の呼吸変動への対応

Step1で超音波画面上に描出した腫瘍は，スコープのズレや呼吸変動などによりその描出位置が変動します。この変動が正確な腫瘍穿刺のさまたげになります。正確に腫瘍穿刺するための穿刺時の画像描出法を学びましょう。

1 スコープの固定

腫瘍描出を右手のスコープシャフトを回旋して行っています。この理由はより細かい操作性とシャフトから伝わる抵抗を感じることができるからです。しかし，穿刺針操作には右手をスコープシャフトから離す必要があります。その際にはスコープがずれて腫瘍が超音波画面内で移動してしまいます。これには以下1）2）の2つの方法で対処します。

1）スコープシャフトの口元での固定

介助者に口元でスコープシャフトを固定してもらう方法です（**写真14**）。これは，術者が右手で行っていた回旋を維持することと，スコープシャフトのズレによる超音波画面内の腫瘍の変動を防ぐことを目的としています。

その際にはスコープのズレを防ぐために介助者に指示する必要があります。スコープのズレには2種類あります。

(1) スコープが抜けてくるといった前後の動きです。これに関しては，抜けてこないように押さえたり，少しPUSH気味で良好な描出が得られる際は少し口の中に押し込む力を加えて保持してもらいます。

(2) 血管の間を穿刺するといった狭い穿刺範囲の際に呼吸変動などで回旋操作が自然に加わってしまい描出が不安定になる場合です。これには介助者に要求される指示が高度になるときがあります。介助者がEUSに精通している場合は容易ですが，そうでないときにうまく指示する必要が生じます。その際に有効な方法を示します。

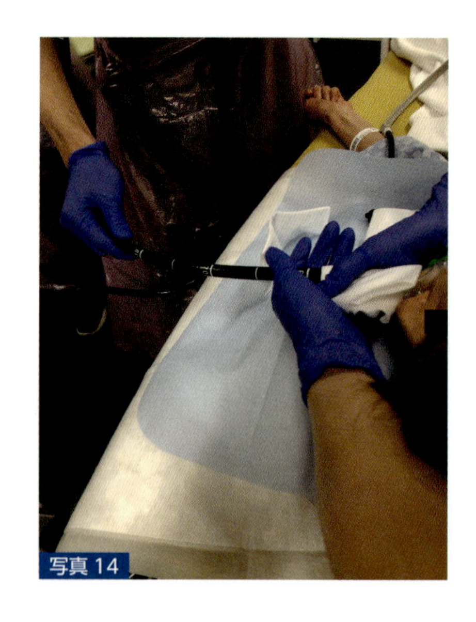
写真14

超音波画面内の腫瘍の変動に対応するためには，スコープシャフトがずれた際にそのズレと反対方向へスコープを回旋させることで対応します。

具体的には，まず穿刺する腫瘍をAとして，腫瘍を描出します（**図6中央**）。ここからスコープシャフトを時計回りに回旋すると血管Bが見えてきます（**図6左**）。逆に腫瘍から反時計回りに回旋すると血管Cが見えます（**図6右**）。つまり，血管Bと血管Cの間に腫瘍があり，腫瘍を描出して穿刺する際にBとCが描出されない画面で（**図6中央**）穿刺を行います。よってこの場合においては「Bが見えはじめたら少し反時計回りに回旋」，「Cが見えたら少し時計回りに回旋」の動作が必要になります。そのように介助者に指示しますが，そのときに，術者

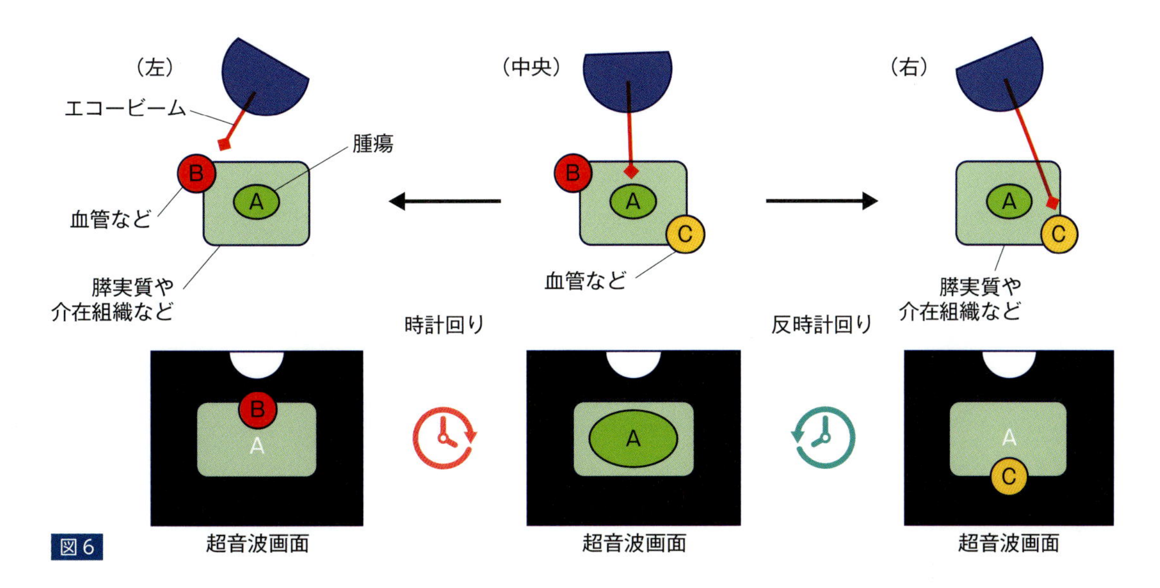

図6

と介助者は対面していますので回旋する方向の伝え方の方法は，「頭側や足側に回旋させる」などとの指示の工夫が必要です。そのうえでいったん，介助者にBやCが描出されている部位から腫瘍が描出される動きを体験してもらってから穿刺を行います。

スコープが抜けてくるといった前後の動きに対して介助者の代替方法としてMote Mote®（Make Way）というスコープホルダーを使用するのも有効です（写真15）。

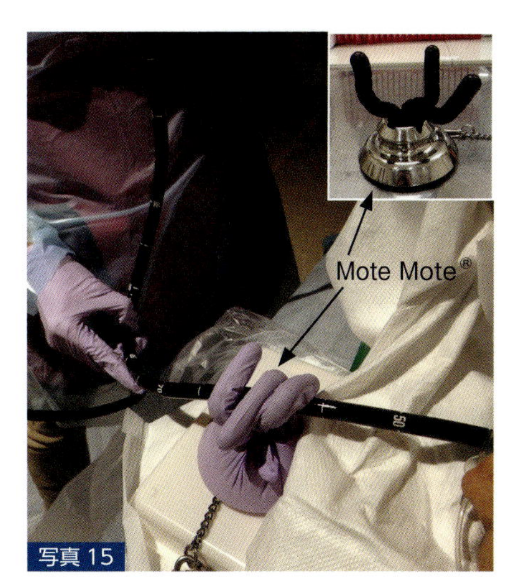

写真15

2）術者の身体や左手首のひねりで対応する

右手で行っていたスコープシャフトの回旋は，上半身や左手首のひねりでも維持できます。その際も病変を描出しながら病変が移動しないように右手でのスコープシャフトの回旋を徐々に解除しながら，右手でのスコープシャフトの回旋と同じ方向に上半身や左手首のひねりを加えていけば，最終的に右手でスコープを回旋することなく，病変が描出される状態になります。このとき，口元から左手のあいだのスコープのねじれは解消されていますが，スコープシャフトが検査台から垂れているとスコープが抜けてくることがあるので，スコープシャフトを長めに検査台に置くか（写真16），1）のように口元で介助者に固定してもらうかスコープホルダーで固定することが大切です。

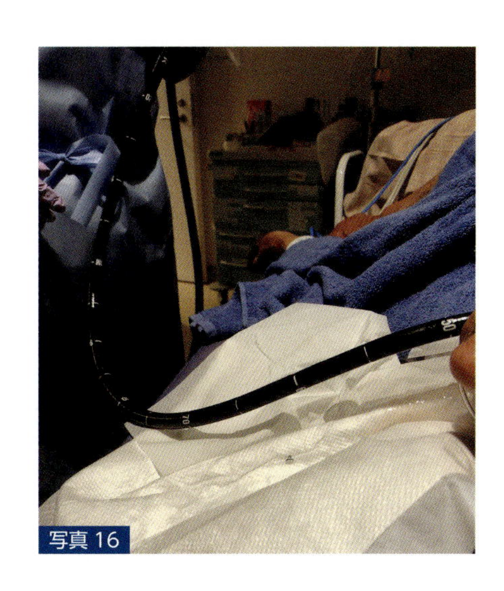
写真16

② 呼吸変動

(時間：29秒)

穿刺時にもっとも気になるのが超音波画面内での腫瘍の呼吸変動です。

しかし，呼気相終末（写真17），吸気相終末（写真18）のいずれかで腫瘍が超音波画面内で静止している時間が長い時点で穿刺することにより，時間的余裕をもって穿刺できます。

ほかの方法としては，穿刺針を消化管粘膜に軽く当てると腫瘍の呼吸変動が減弱します。そのとき，針を進めすぎると消化管壁や腫瘍などが強く押されることで穿刺ラインがずれてしまうので押しすぎは禁物です。

通常の呼吸変動なら上記の方法で対応できますが，鎮静下では大きな呼吸変動になる場合があります。そのときには，患者の心窩部を介助者の手のひらで足側から頭側にゆっくり押してもらうことで変動が小さくなることがあるので試してください。

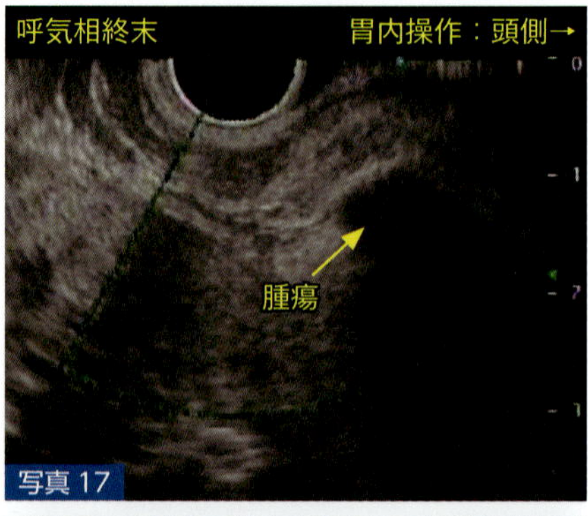

写真17

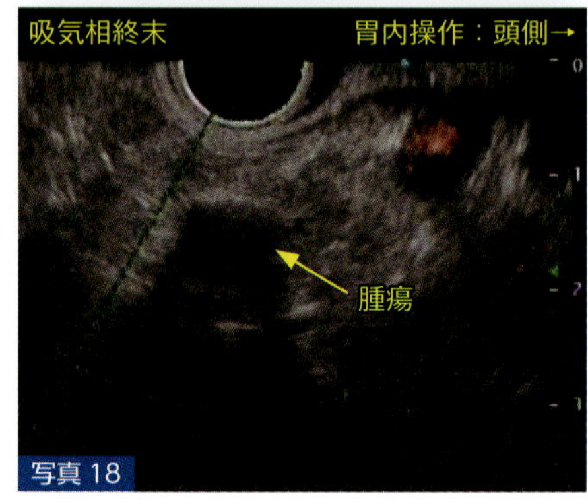

写真18

Step 4 穿刺の方法（腫瘍穿刺：血管の回避含む）

安全，確実で精度の高い腫瘍穿刺をする方法を学んでいきましょう。

はじめにいくつかのワードの説明をします。

● door-knocking 法

穿刺針の先端から穿刺針を進めたい部位までの長さを計測し穿刺針の固定ロックをその長さに固定して，手首のスナップを使って一気に穿刺する方法です。そのため，固定ロックが確実にかかっていることを穿刺のたびに逐次確認します。固定ロックが外れていると予期せぬ深さまで穿刺針が進んでしまうので注意が必要です。

● Seldinger 法

いったん穿刺の対象となる腫瘍を貫いてから引き戻して，針先を病変内に位置させる方法です（図 7）。小さな腫瘍に対して EUS-FNA を実施する際に用いる方法です。この方法を行うときには，腫瘍の奥に血管などがないことの確認が必要です。

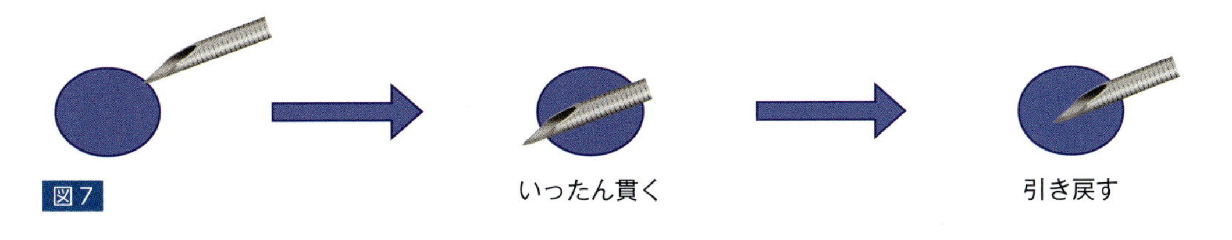

図 7

1 穿刺を開始する前に，スコープのプローブをつねに消化管粘膜に接着させておくために，持続的に吸引操作をします。次にドップラーモードにして鉗子挙上装置を動かして穿刺する方向を決めます（写真 19）。そして穿刺針の固定ロックを解除してゆっくりと穿刺針を進めていき，シースから穿刺針を出します。このとき超音波画面上で消化管内でシースから穿刺針が出ている状態を確認します。そして超音波画面上で穿刺針の先端が確認できたら，ゆっくりと消化管粘膜にあたる位置まで進めます（写真 20）。穿刺針を軽く消化管粘膜にあてることで腫瘍の呼吸変動が少し落ち着きます。

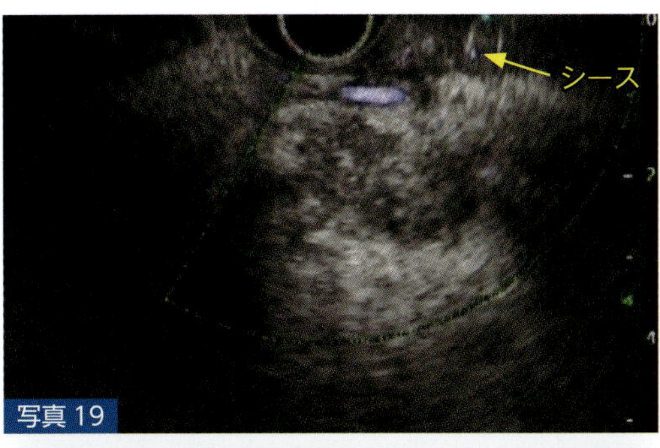

写真 19

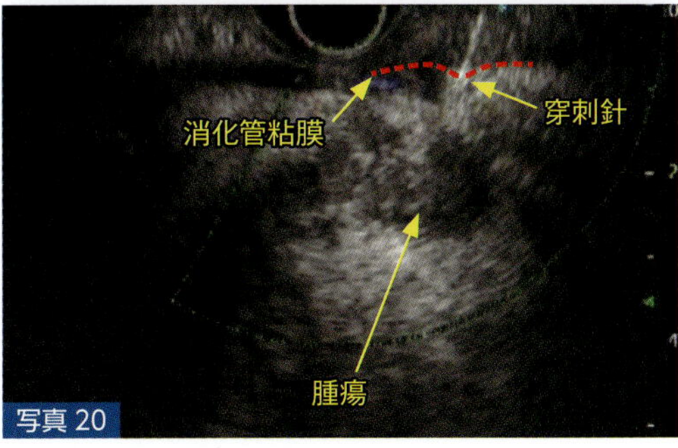

写真 20

注意1：穿刺針を押しすぎると消化管壁がたわんでプローブと消化管粘膜との間に空気が入り針先や腫瘍の描出が悪くなるので注意が必要です（**写真21**）。この場合には穿刺針をいったん引き戻し，再度消化管粘膜に軽く当てなおします。

▶動画51
（時間：17秒）

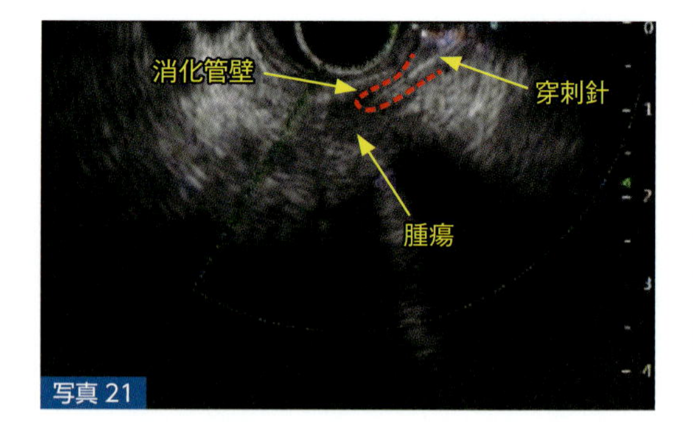

写真21

注意2：針を進めているときに抵抗があり，針先が超音波画面上に出ないときは，シースの先端がスコープ内にとどまっていることがあります。その場合に無理に針を進めると，スコープの鉗子チャンネルを傷つけてしまうことがあります。その際は，シースをさらに挿入して，内視鏡画面や超音波画面でスコープ外にシースが出ていることを確認しましょう。

2 次に消化管壁から腫瘍内に穿刺針を進めていきます。ここでは2種類の方法があります。

1．通常の穿刺方法

▶動画52
（時間：23秒）

ゆっくりと目的の位置まで穿刺針を進めていきます（**写真22，23**）。常に針先を超音波画面上で観察しながら穿刺することで安全に穿刺することができます。多くの場合はこの方法で腫瘍内まで針を進めることができます（**写真24**）。

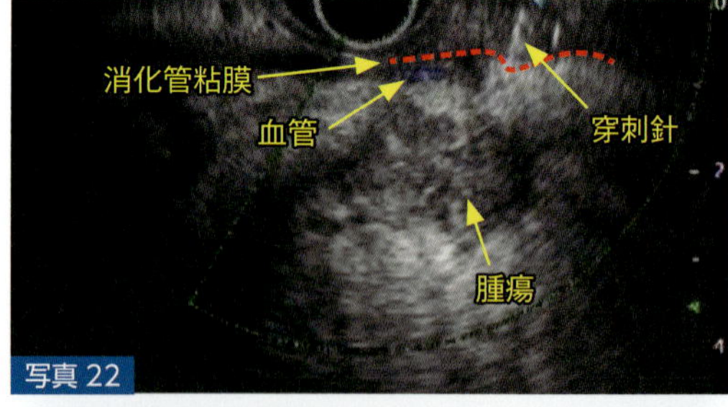

写真22

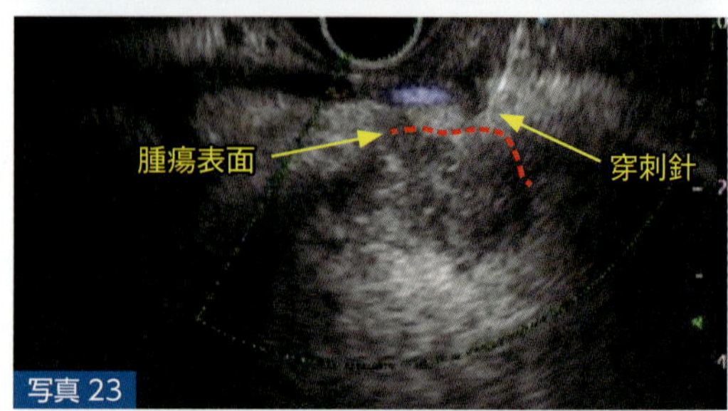

写真23

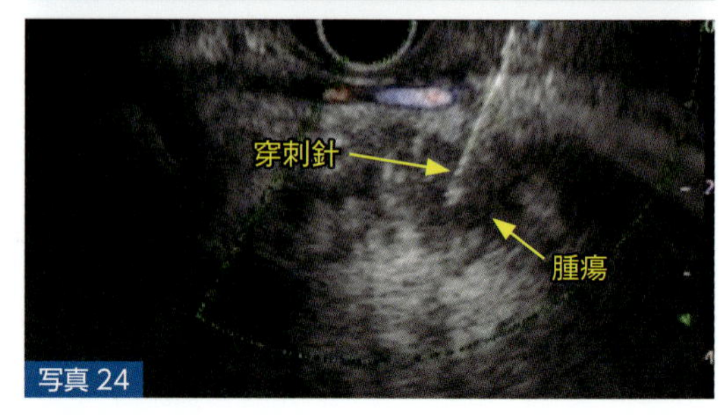

写真24

注意1：この方法は穿刺能が高い針で行いやすいです。穿刺能が低い針で行うと，消化管壁（とくに胃壁）や腫瘍表面を穿刺するときに切れが悪く，消化管壁を押しているだけであったり，腫瘍表面を押しているだけであったりすることがあります。

穿刺針が消化管壁を貫いていると思っても穿刺針を少し引いてみると消化管壁のたわみが元に戻る場合は，穿刺針が消化管壁をしっかりと貫いていないときです（**写真25**）。その際には消化管壁のたわみをとり，超音波画面上で再度針先を確認します（**写真26**）。その後改めてdoor-knocking法を用いて，しっかりと消化管壁を貫き，腫瘍方向に穿刺針を進めます（**写真27**）。

穿刺針が腫瘍表面を押しているだけの場合も，穿刺針を押し込むと腫瘍は押し込まれます。穿刺針を引くと針先に遅れて腫瘍は元の位置に戻ります。これにより，穿刺針は腫瘍を貫いていないことがわかります。その際は，腫瘍表面穿刺時に短い距離でdoor-knocking法を用いることで腫瘍表面を鋭く切って穿刺針を進めることができます。

（時間：58 秒）

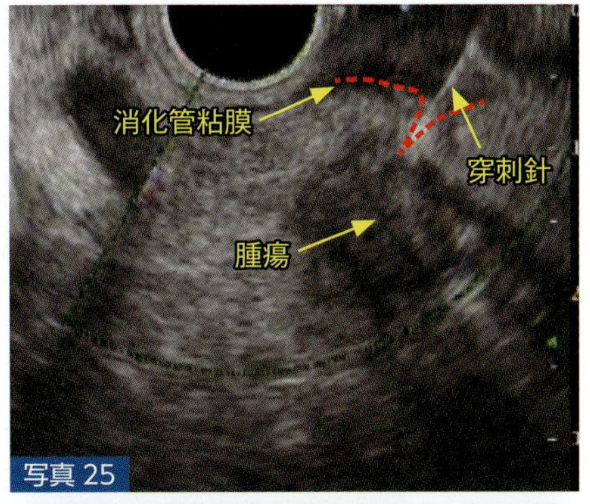

写真 25

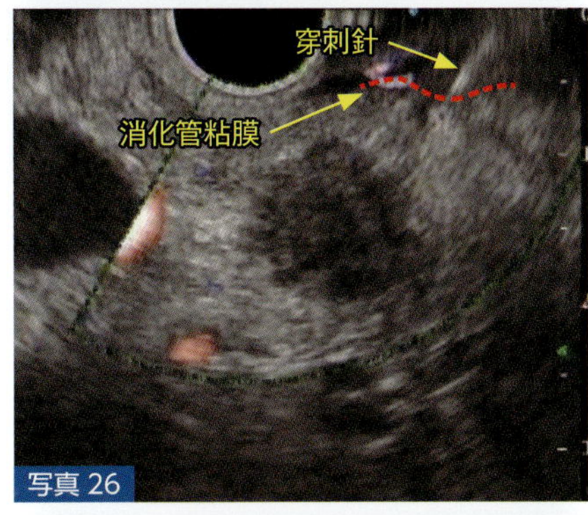

写真 26

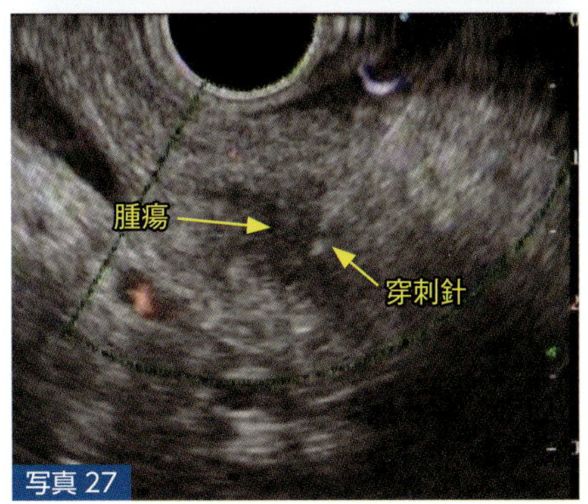

写真 27

2．最初からdoor-knocking法を用いる穿刺方法

(1) 穿刺針の先端から穿刺針を進めたい位置までの長さ（赤矢印）を超音波画面上で測定します（**写真28**）。

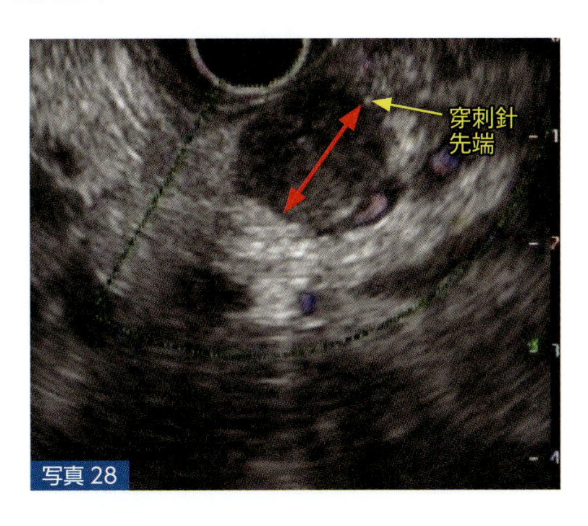

写真 28

(2) その長さにあわせて針のロックを固定して，一気に穿刺します（写真 29，30）。

▶動画 54
（時間：37 秒）

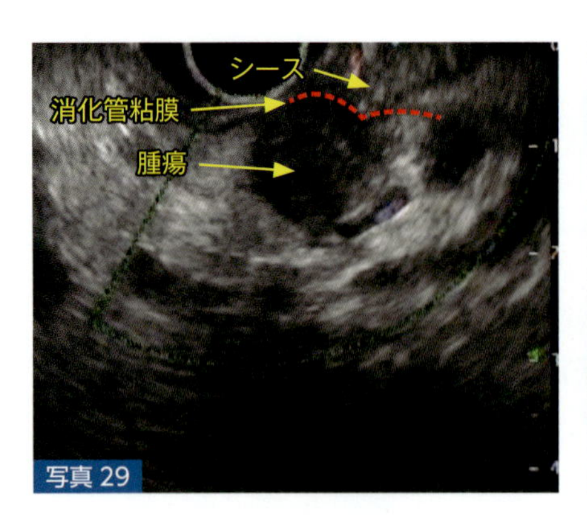

写真 29

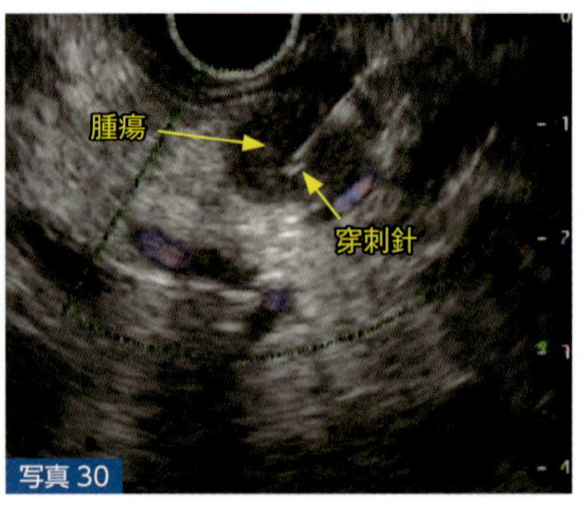

写真 30

勢いが弱いと消化管壁を伸ばしてしまうだけであったり，穿刺ラインがずれることが生じますので勢いよく行いましょう。

注意 2：いずれの方法でも，穿刺した直後に針先を確認することが重要です。とくに 2. の door-knocking 法を用いるときは穿刺の際に超音波画面上で針先を見失いやすいので，穿刺直後に予測の部位から針先がずれていないか必ず確認しましょう。もし，確認できないときは，少しだけ針を引くと針先が確認しやすくなります。

▶動画 55
（時間：10 秒）

注意 3：腫瘍の描出時に血管を見るためにドップラーモードを使っていると思いますが（77 頁 Step1 5 参照），穿刺時にドップラーモードにしていると穿刺針が少し見づらくなることがあります。そのときには，穿刺の直前に B モードに戻したり，2 画面にして（写真 31），片方を B モード，もう片方をドップラーモードにして対応します。2 画面の場合は表示範囲が狭くなるのでスコープから穿刺針が出る部分が見づらいときがあるので注意は必要です。

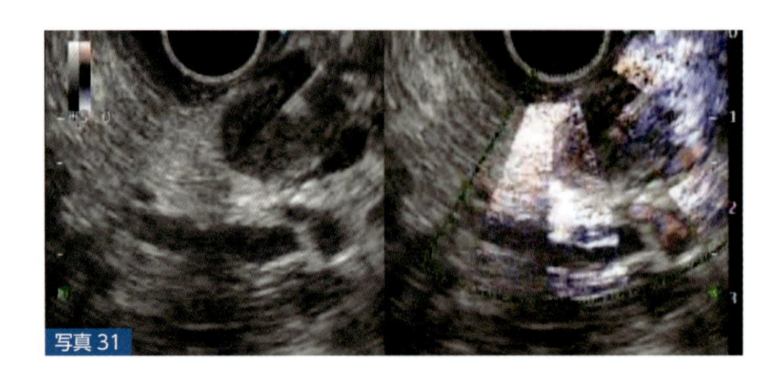
写真 31

3．想定穿刺ライン上に血管を認める場合の穿刺方法

ドップラーモード観察で想定穿刺ライン上に血管が認められた場合には（写真 32），その血管を避けて穿刺することが必要です（77 頁 Step1 5 参照）。

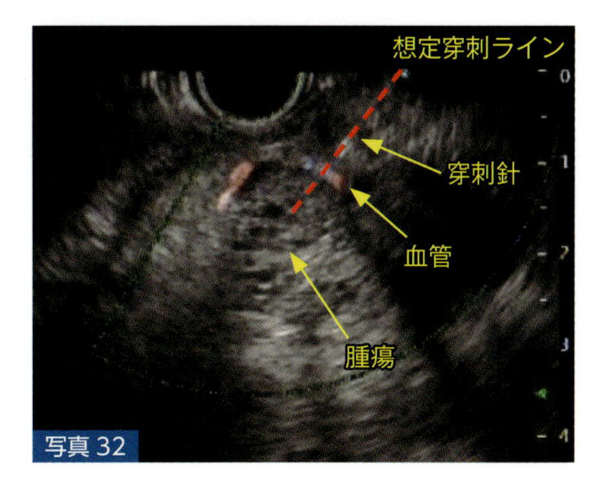

写真 32

1）ほかの穿刺ルートを探す方法

まずは基本として，消化管壁内の血管であっても消化管と腫瘍の間にある血管であっても，スコープ操作（回旋操作など）や穿刺部位（胃，十二指腸）を変えることでライン上に血管を認めない別の穿刺ラインを探してみます（動画 56）。また，前述したように，細い針を使うと広い範囲で穿刺ラインが選択できるので，血管を認めない穿刺ラインを見つけやすくなります。

大きな腫瘍などではこの方法で対応できることが多いです。

血管が描出されていてもその血管からごくわずかに離れた穿刺ラインで穿刺することも可能です（写真 33）。しかしこれらの操作で，超音波画面上で穿刺ライン上に血管が認められる場合はもちろん，血管が認められなくても穿刺ラインのすぐそばに血管が存在する場合もあるので，常に超音波画面上に針先を描出し確認しながら穿刺していく必要があります。

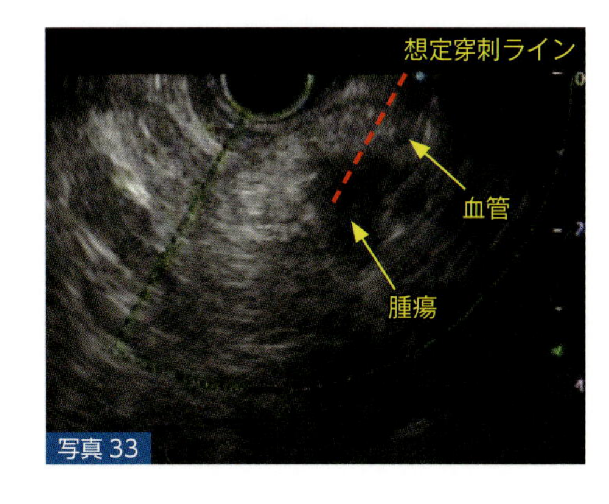

写真 33

2）消化管壁内血管を想定穿刺ラインから外す方法

次にこれらで対応できないような場合の方法を説明します。

(1) 消化管壁内の血管が穿刺ラインに認められる場合（**写真34**）は，穿刺針をスコープ先端から少し出し，鉗子挙上装置を使い穿刺針を穿刺ラインから少し離れた消化管粘膜に押しつけ，再度鉗子挙上装置を元に戻します。この方法は寝かせる方法（**動画58**）と立てる方法（**動画59**）があります（**図8**）。これにより腫瘍存在臓器内での穿刺ラインは変わることなく，消化管粘膜の穿刺部位が変わることにより，消化管壁内の血管は穿刺ラインから外すことができます。

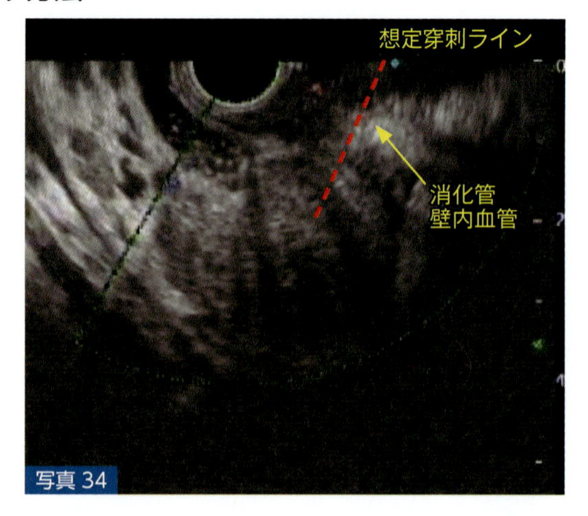

写真34

（時間：42秒）

（時間：28秒）

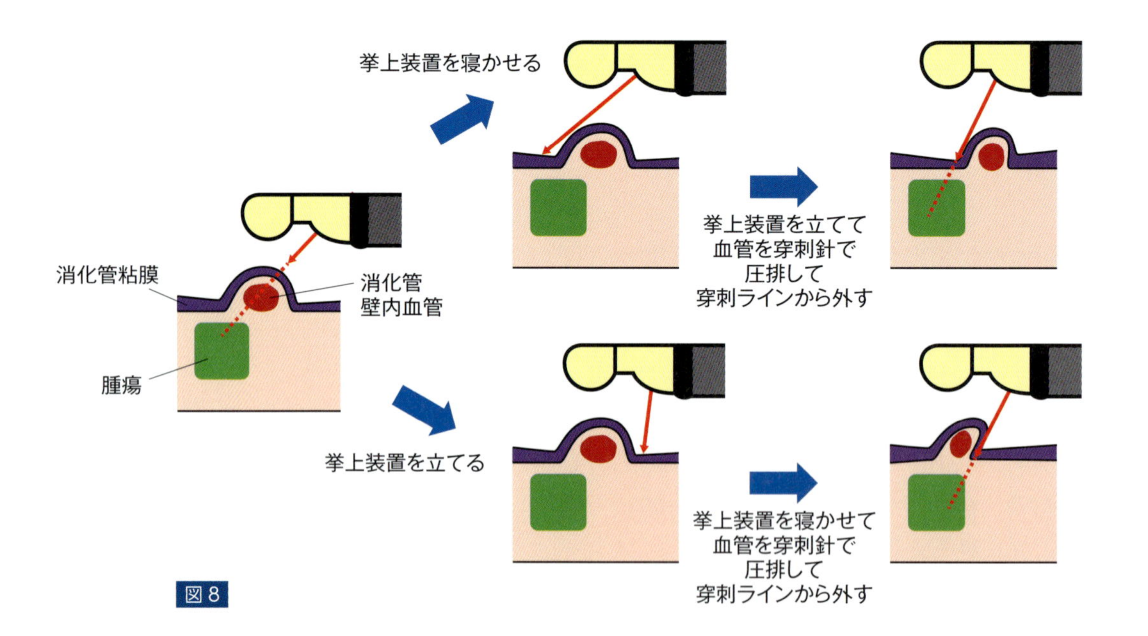

図8

(2) 上記の方法でも避けられないときは，鉗子挙上装置で穿刺針を寝かせた状態でいったん軽くダウンアングルとPUSH操作をかけて腸管壁とスコープのプローブとの距離をあけます。次に穿刺針を少し出し，少し離れた消化管粘膜に穿刺針を押しつけ，アップアングルとPULL操作でプローブの位置を元に戻します。さらに鉗子挙上装置を立てることで，消化管壁内の血管は穿刺ラインから外すことができます（図9）。

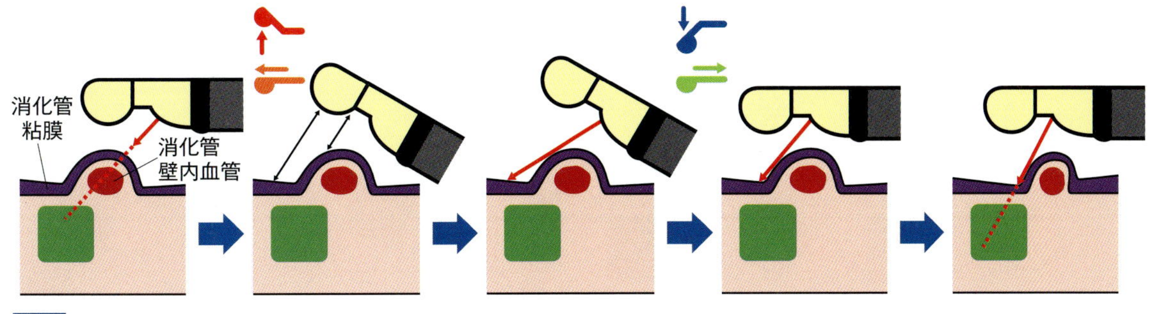

図9

注意：これらの方法を行うときに針先やシースを長く出しすぎると粘膜を広く引っ張ってしまい，穿刺針の曲がる原因や粘膜が重なって穿刺しづらくなったり，空気が間に入って描出が悪くなることがあります。このような場合は少しシースを引き抜きます（83頁Step2　❷穿刺針の装着（2）参照）。

3）消化管と腫瘍の間にある血管を想定穿刺ラインから外す方法

(1) 消化管と腫瘍の間にある血管の避け方

このような血管（写真35）に対しては回旋操作で血管のないラインで穿刺する場合とわざと血管を描出して避けるラインで穿刺する方法があります（90頁1）ほかの穿刺ルートを探す方法参照）。

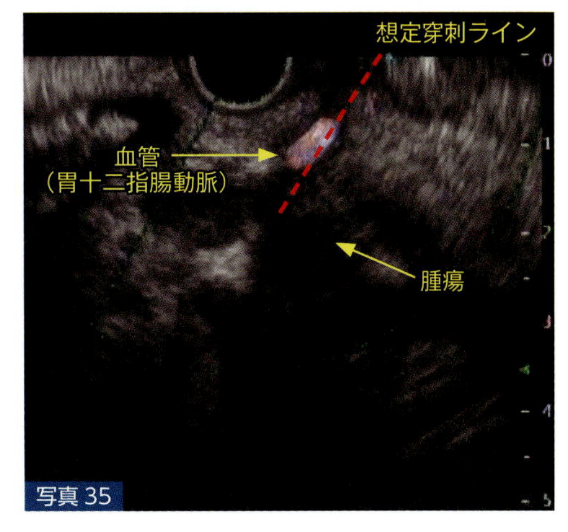

写真35

(2) どうしても腫瘍への穿刺ルート上に血管が描出されてしまう場合もあります。

当然のことながら，血管を串刺にして穿刺するわけにはいきません（図 10a）。このようなときは，腫瘍が存在する臓器内で穿刺針を曲げながら穿刺する方法を用います。まずは血管を避けて穿刺針を進めた後に（図 10b）アップアングルをかけることで穿刺針を組織内で彎曲させ，穿刺針の進む方向を変えます（図 10c）。次に PUSH 操作で穿刺針の進む方法を調整しながら穿刺針を腫瘍内に進めていきます（図 10d）。この方法は軟らかい穿刺針を使ったほうが行いやすいです。しかし，この操作後には穿刺針が曲がってしまっていることが多々あります。その場合には 2 回目以降の穿刺の際は注意が必要です。

（時間：51 秒）

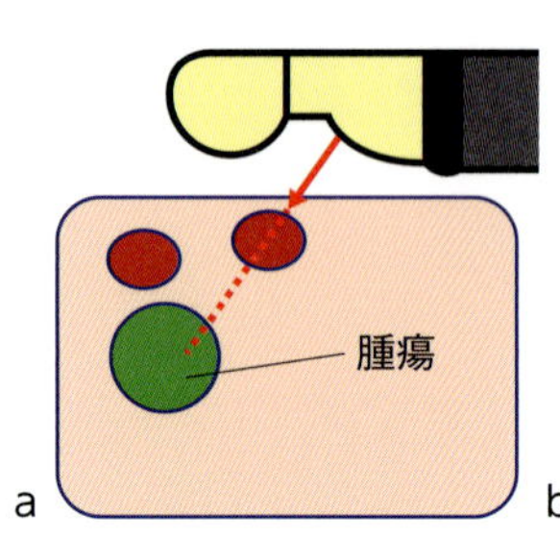

a
このままでは血管を避けられません。

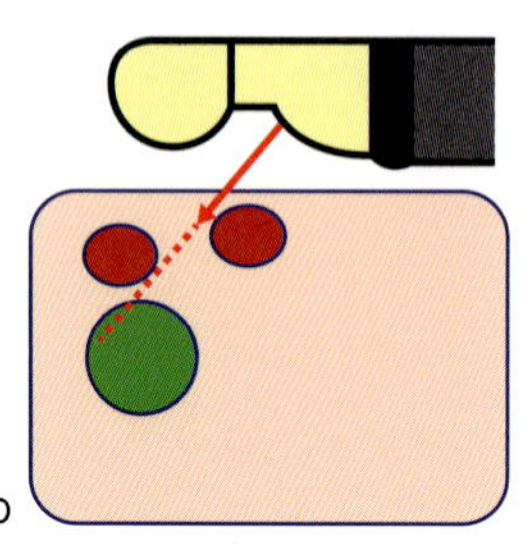
b
血管を避けて穿刺針を進めます。

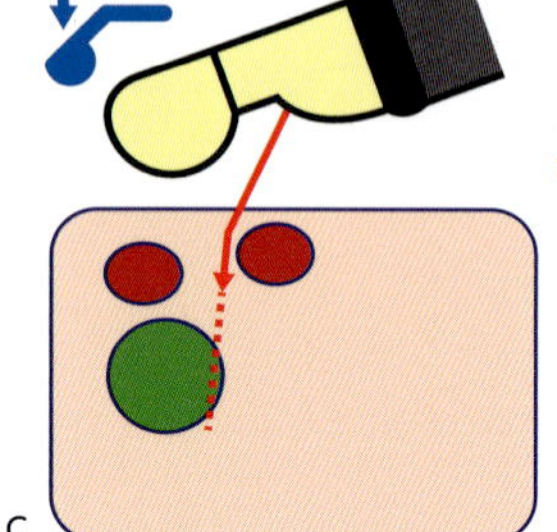
c
アップアングルをかけて穿刺針の進む方向を変えます。

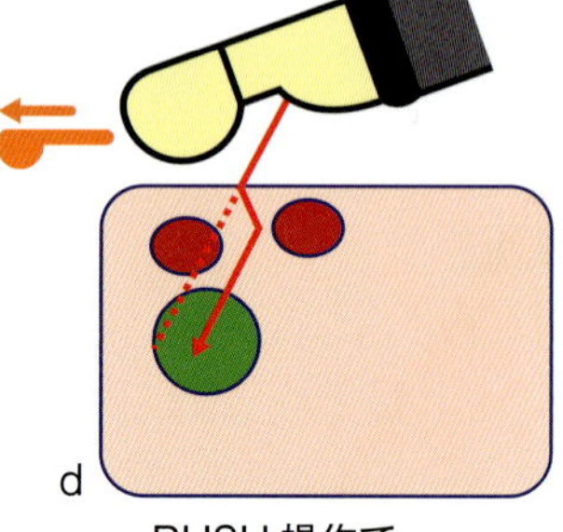
d
PUSH 操作でスコープを進め，穿刺針の進行方向を調整しながら穿刺針を腫瘍内に進めていきます。

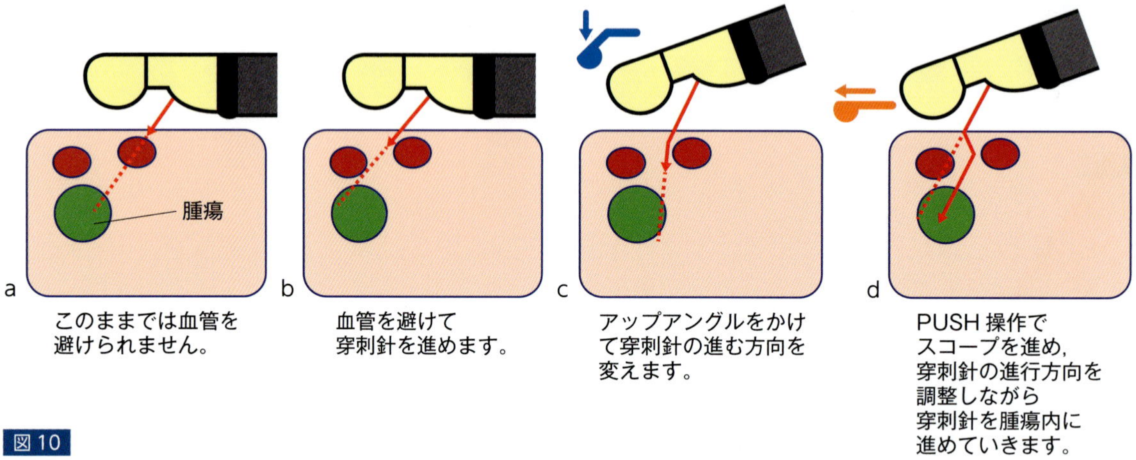

図 10

Step 5 腫瘍組織採取の方法

ここでは頻回にストロークという言葉が出てきます。

「ストローク」とは腫瘍内で穿刺針を押し引きし，腫瘍組織を採取する動作のことを指します。この穿刺針を押し引きする距離（ストロークの距離）を長くすることが腫瘍組織を多く採取する一つのコツです。

1 スタイレットは穿刺前に少し抜いていたと思います（図 11a）（83 頁 Step2 参照）。この状態で消化管壁などを貫くと穿刺針内に消化管粘膜組織などが入ってしまいます（図 11b）。そこで，ストロークを行う直前に針先が腫瘍内にある時点でスタイレットをいったん押し込みます（図 11c）。これにより採取された腫瘍組織に消化管粘膜組織などがコンタミネーションすることを防ぎます（図 11c）。そのあとにスタイレットを穿刺針から抜去し，ストロークに備えます（図 11d）。

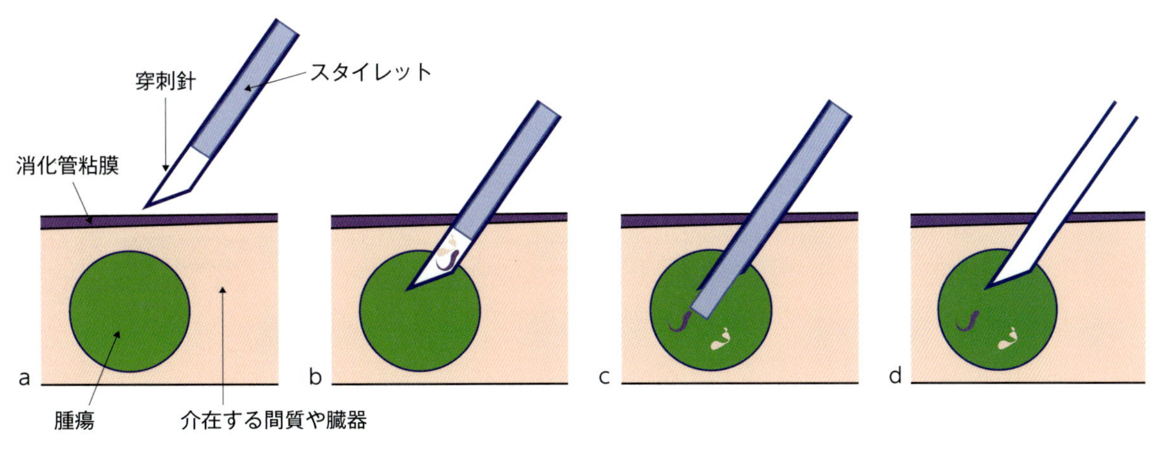

図 11

2 付属のシリンジ先端の活栓をロックします。シリンジ内筒を 20ml のラインまで引き回旋させて内筒もロックします。この状態のシリンジを，スタイレットを抜いた吸引口に接続します。その後シリンジ先端の活栓のロックを解除して，穿刺針内腔に陰圧をかけます（写真 36）。

▶動画 63
（時間：23 秒）

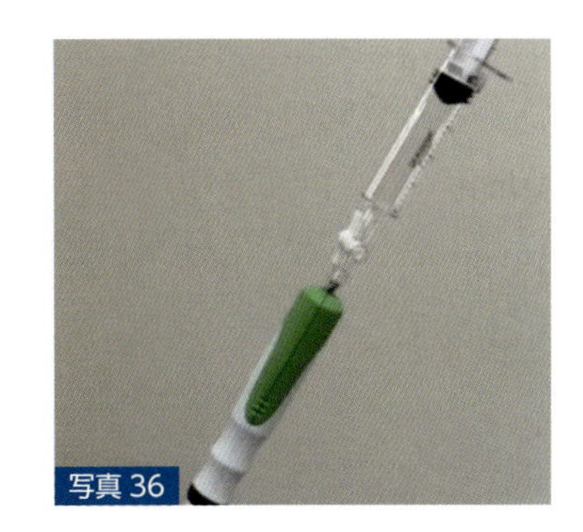
写真 36

3 ここでストロークを開始します。
ストロークの回数はおよそ1つの腫瘍に対し10～20回程度を目安にします。
ストロークを行うときにも超音波画面上の腫瘍位置の呼吸変動に注意が必要です。呼吸変動によって穿刺針が刺さりすぎたり抜けたりするので，穿刺の際と同様（86頁Step3参照）に呼吸に合わせてストロークを行います。呼吸変動で穿刺針の先端が動かない位置で待機して，呼気相終末，もしくは吸気相終末で長く画像が静止するタイミングでストロークを行います。ストローク後は呼吸変動が生じる前に穿刺針の先端が動かない元の位置に戻ります。

4 ストロークの方法としては，以下の3つの方法があります。腫瘍の大きさや硬さなどによってこれらの方法を使い分けましょう。

(1) ゆっくりとストロークする方法：穿刺針の固定ロックを解除して，ゆっくりと穿刺針を腫瘍内で押し引きしてストロークする方法。まずはこの方法で行うことを考えましょう。

(2) door-knocking法：予想外に穿刺針が奥に進まないようにしっかりと穿刺針の固定ロックをセットして，腫瘍内で穿刺針をゆっくり引いたのちにdoor-knocking法（87頁Step4参照）を用い，腫瘍内でストロークする方法です。この方法は腫瘍が硬いときなどに有効です。

(3) woodpecker法：穿刺針の固定ロックを解除して，親指と人差し指で穿刺針を把持して細かく振動させるようなストロークを行う方法です。この方法は腫瘍が小さく腫瘍内でストロークの距離が十分にとれないときに有効です。

腫瘍組織をしっかりと採取するコツ

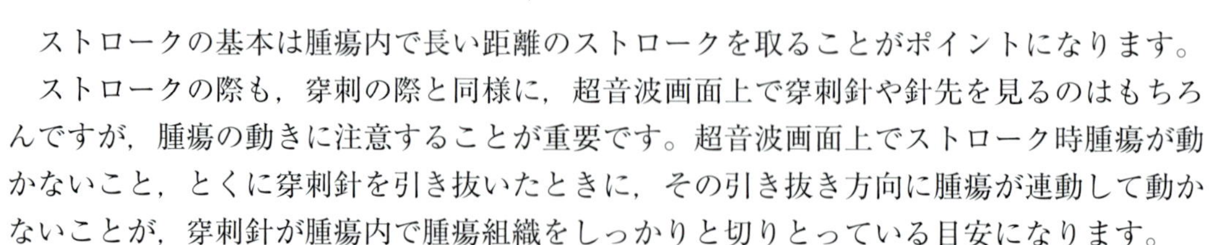
ストロークの基本は腫瘍内で長い距離のストロークを取ることがポイントになります。
ストロークの際も，穿刺の際と同様に，超音波画面上で穿刺針や針先を見るのはもちろんですが，腫瘍の動きに注意することが重要です。超音波画面上でストローク時腫瘍が動かないこと，とくに穿刺針を引き抜いたときに，その引き抜き方向に腫瘍が連動して動かないことが，穿刺針が腫瘍内で腫瘍組織をしっかりと切りとっている目安になります。

そのために上記方法を使い分けます。腫瘍が軟らかく，最初から長い距離のストロークが取れるようなときはいずれの方法でも問題ありません。しかし，腫瘍が硬いときや，逆にとても軟らかいときは穿刺針が組織を切りとりきれないことがあります。

(1) このような硬い腫瘍やとくに軟らかい腫瘍の組織をしっかり切りとるには，door-knocking 法や woodpecker 法を用いて，腫瘍の中心に針先を位置させて，引き抜きから短い距離のストロークを開始します（**写真 37**）。この位置でストロークを始める理由は，手前に引いてくる余裕をもちつつ，腫瘍を突き抜けないようにするのに適しているからです。徐々に組織が切れてきたら徐々に長い距離のストロークを取る方法でストロークの幅を広げていきます（**写真 38，39**）。

ストローク数に関しては穿刺針が腫瘍組織をしっかりと切りとりはじめてから数えるようにしましょう。

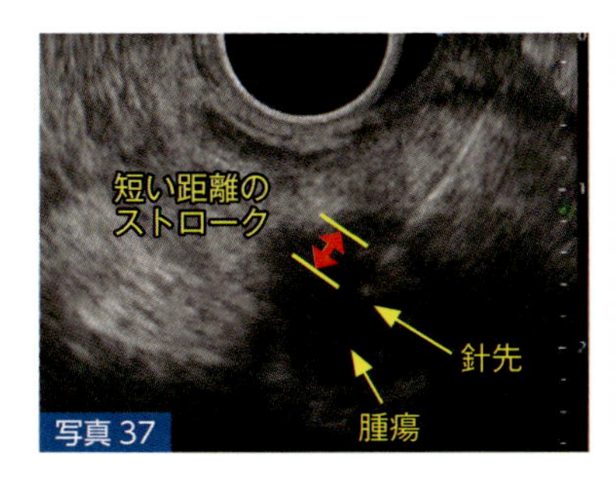

写真 37

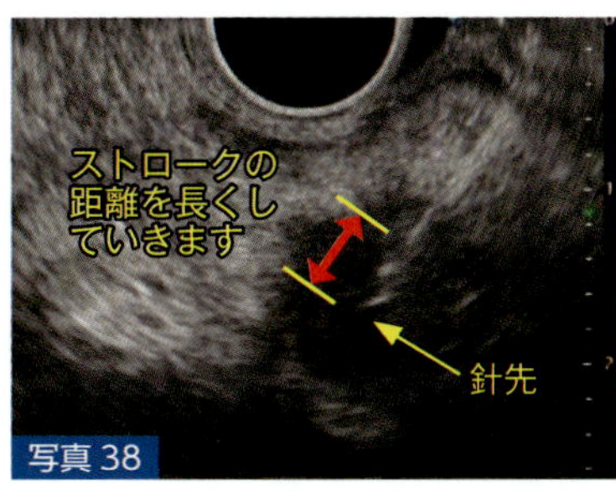

写真 38

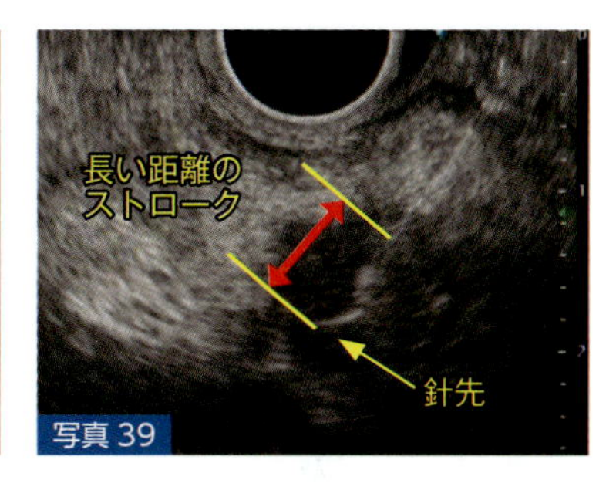

写真 39

(2) 腫瘍が大きいときや，さまざまな腫瘍成分を有する腫瘍などから広い範囲で組織を採取する方法を funning 法といいます。

funning 法：扇状に穿刺針の方向を変えながら，複数の方向で腫瘍を穿刺する方法です（**写真 40**）。扇状に穿刺するには，一度腫瘍内に穿刺した穿刺針を腫瘍内でできるかぎり引き抜いて，鉗子挙上装置で穿刺針の方向を変化させ再度腫瘍を穿刺する方法が簡便です。しかし，鉗子挙上装置のみでは穿刺針の方向を十分変えられないときにはスコープ操作で穿刺針の方向を変化させます。軽いアップ・ダウン操作，PUSH，PULL 操作をゆっくりと行い対象と穿刺針の角度を変えることで広い範囲に穿刺することができます。ゆっくりと少しずつ穿刺針の方向を変えることが肝心です。穿刺針が抜けて予想外の方向に穿刺針が刺さらないように注意します。また穿刺ルートを変えるときにはドップラーモードで穿刺部位に血管が描出されないことを確認しましょう。

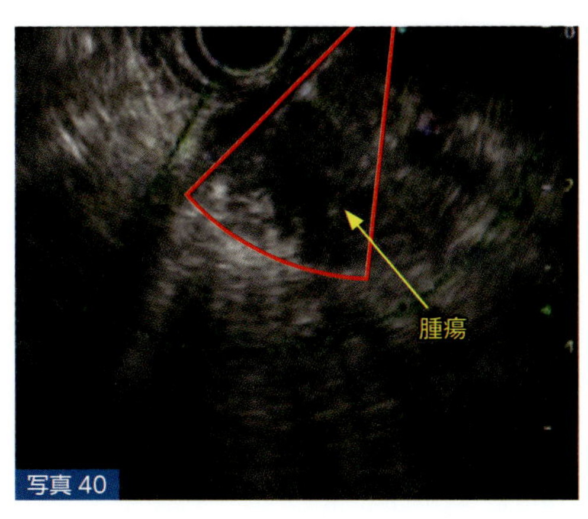

写真 40

奥義　血流の多い腫瘍の組織採取のコツ

神経内分泌腫瘍など血流の多い腫瘍の場合は，採取組織に血液の混入を最小限にするために以下のいずれかの方法を用います。

(1) 最初からスタイレットや吸引シリンジを装着せず，陰圧をかけずにストロークを行う方法。

(2) slow-pull 法：スタイレットを使って，穿刺内腔にごく軽い陰圧をかけて腫瘍組織を吸引採取する方法。スタイレットは穿刺針内に挿入しておき，吸引シリンジは使用しません。そしてスタイレットを少しずつ引きながらストロークを行う方法です。この方法では，穿刺針内壁とスタイレットの間に隙間がほとんどないので，スタイレットをゆっくり引くことで穿刺針内腔に軽い陰圧がかかります。スタイレットが全部抜けてしまうと陰圧が開放されてしまうため，スタイレットが抜けてしまう前にその引き抜きを止めます。

トラブルシューティング
穿刺針（先端）が描出されないとき

（時間：17 秒）

ストローク中に穿刺針を奥に進めたときに針先が超音波画面上で見えなくなることがあります。これは穿刺針が曲がってエコービームの面から針先が外れてしまっているためです。この場合，穿刺針を出せば出すほどエコービームの面から離れていきます。

この穿刺針の曲がりは，スコープ内の先端に穿刺針が達している時点でスコープの強いアングル操作を行うことで穿刺針が彎曲してしまうことにより生じます。

対処法は，穿刺針を奥に進めたときにその曲がっている方向にスコープを少し回旋させることで，針先が確認できます。例えば，時計方向に曲がった穿刺針を進める際には，スコープを少しだけ時計回りに回旋して進めた先で針先を確認する，逆に穿刺針を引くときにはスコープを少しだけ反時計回りに回旋しながら引くことで針先が確認できます（写真 41 ～ 43）。

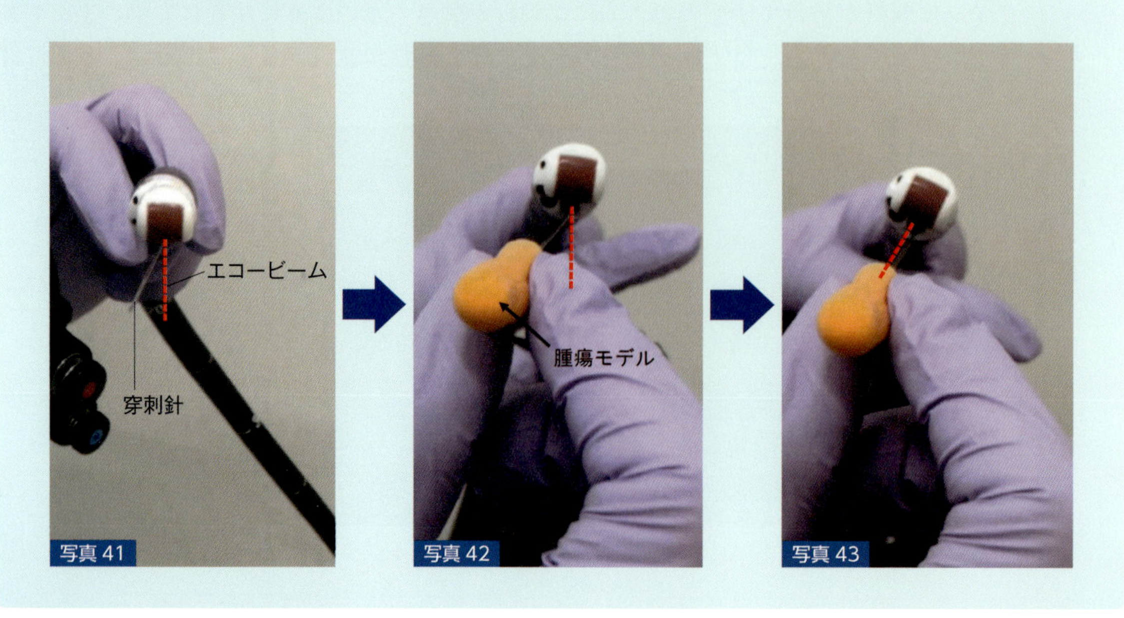

写真 41　写真 42　写真 43

Step 6 採取検体処理方法

検体を穿刺針内から押し出す方法として，まずスタイレットで検体を押し出していきます。シャーレに押し出していくと赤いイトミミズ様の検体が押し出されてきます。その中に含まれる白い検体が確認できると思います（**写真 44**，黄色矢印）。肉眼上は，この白い検体が腫瘍組織です。採取検体にこの白い検体が含まれていれば，良好な検体採取の目安になります。その後に生理食塩水もしくは空気で残りの検体を押し出します。

検体の一部をスライドガラスにとり，スメアを引いてアルコール固定をします（**写真 45**）。これは細胞診に提出します。そして残りの検体はホルマリンに入れて，組織診に提出します。

検体の処理方法に関しては病理医との相談が重要です。ROSE（迅速細胞診：rapid on-site cytological evaluation）や LBC（液状化細胞診：liquid-based cytology），がんゲノム解析など，求められる方法に合わせた検体提出方法を選択してください。

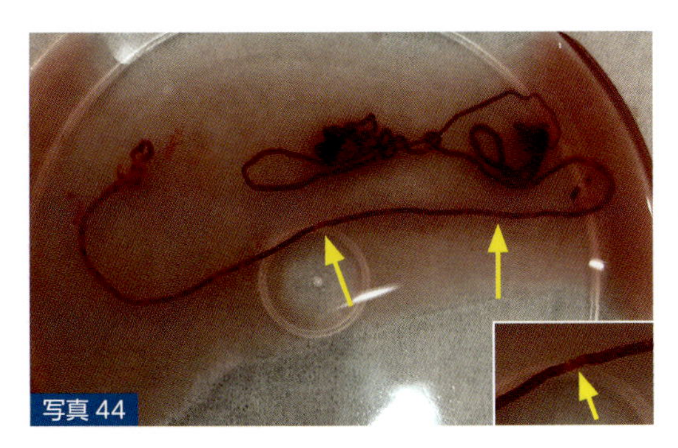
写真 44

写真 45

実践編 実症例3例

穿刺が難しいと考えられる3症例を提示します。症例1の膵尾部腫瘍の穿刺は介在する脾動静脈を避ける必要があります。症例2の膵頭体移行部腫瘍のD1からの穿刺では胃十二指腸動脈が介在することが多く避ける必要があります。症例3の膵鉤部病変のD2からの穿刺では腫瘍が消化管壁から離れ，超音波画面上の下側にくることが多く穿刺距離が長くなること，近接する主膵管や総胆管を穿刺しないようにするため，難易度が上がります。いままでに説明してきたテクニックを駆使して穿刺をしてみましょう。

① 膵尾部病変（胃内からの穿刺）：ランセット形状針，22G

（時間：2分13秒）

A：描出法に従い，膵体部から膵尾部へと描出します（14頁Step4参照）。

B：膵臓を膵尾部に向かって描出していくと膵管が途絶し，腫瘍が描出されてきます（**写真46**）。

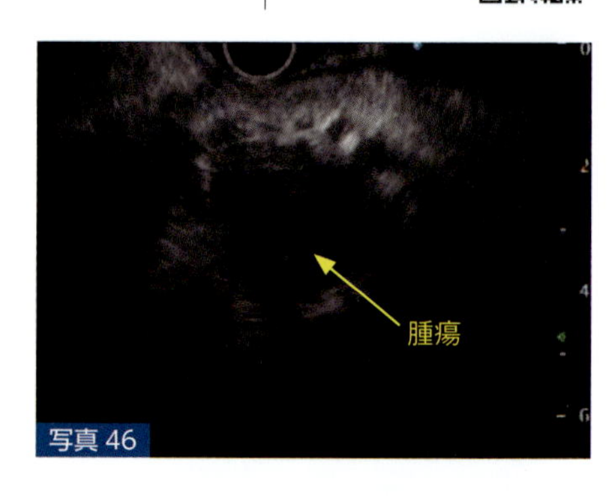

写真46

C：時計回り，反時計回り両方の回旋操作で腫瘍の端から端までしっかりと観察します。
腫瘍壊死が腫瘍の中央の無エコー域として確認できます（**写真47**）。その周囲の充実部分である低エコー域をくまなく観察します。
次にドップラーモードで胃壁と腫瘍の間に介在する血管の有無を確認し，穿刺できるラインを探します（**写真48**）。この際にアップアングルをかけて，腫瘍を超音波画面内で穿刺できる範囲のなるべく上部に移動させます（76頁参照）。

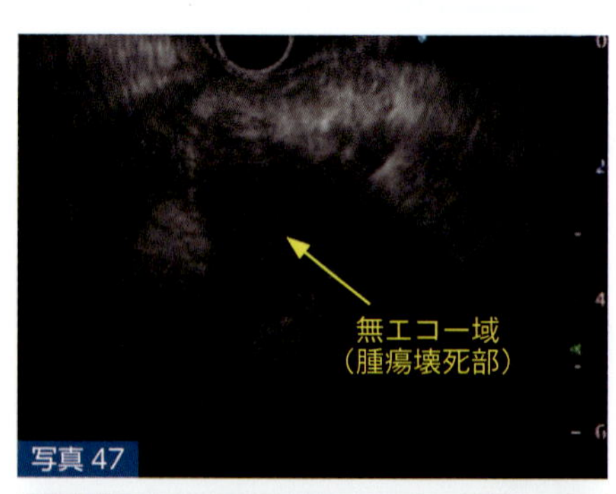

写真47

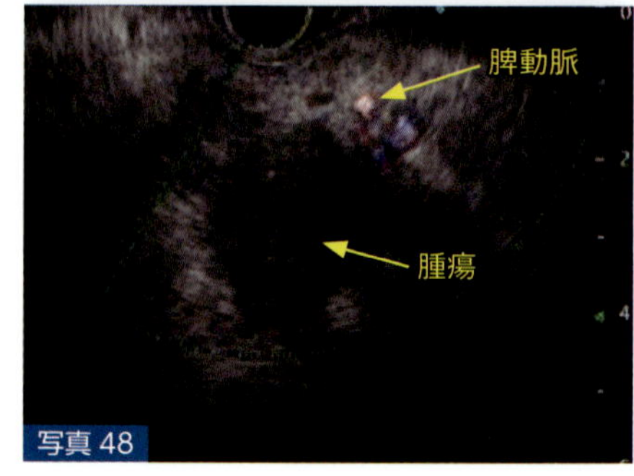

写真48

D：この症例では脾動脈が認められるものの，PUSH 操作で脾動脈を避けて（91 頁参照），かつ腫瘍の充実部分で十分なストロークをとれる穿刺ラインを見出します（**写真 49**）。膵尾部末端に近くなるほど介在血管が多くなります。それらを避けるために症例によっては細い穿刺針を選択する場合もあります。

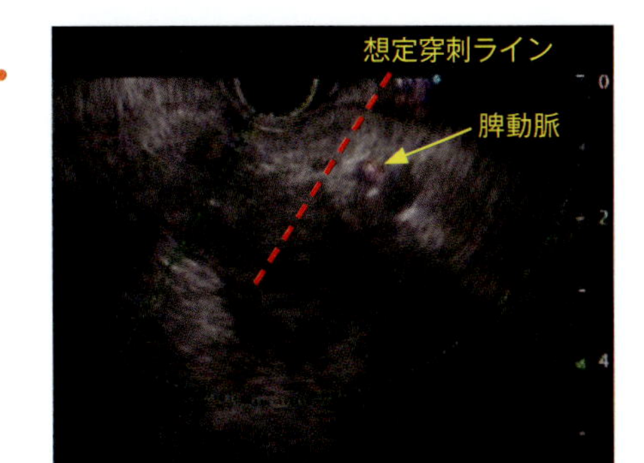

写真 49

E：脾動脈を描出したまま，針先を確認します。その後，脾動脈からわずかに離れた穿刺ライン上をゆっくりと穿刺針をまっすぐに進めていき，腫瘍内まで穿刺します（93 頁参照）（**写真 50，51**）。

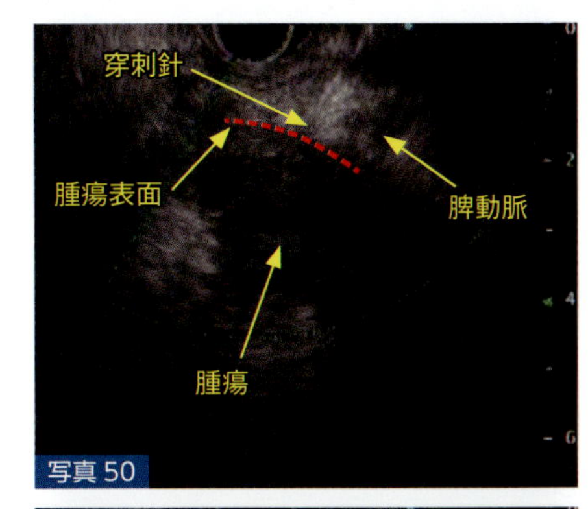

写真 50

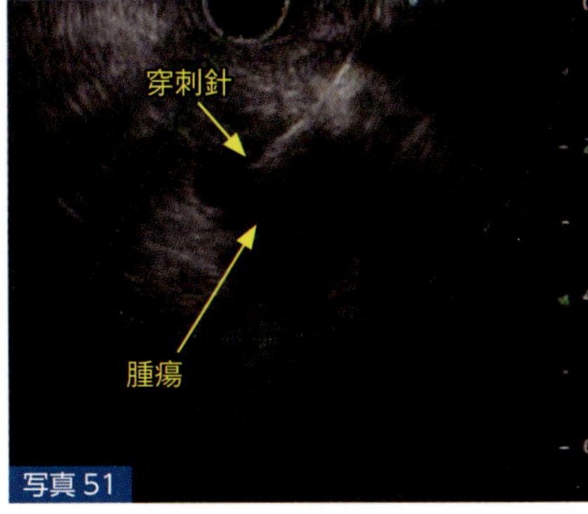

写真 51

F：スタイレットをいったん押し込んだのちに抜去し，シリンジで吸引をかけてから（95 頁参照）ストロークを行います。腫瘍が軟らかいときはそのままゆっくりと腫瘍の端から端までストロークを取っていきます。穿刺針と腫瘍が連動する間は腫瘍が切り取り切れていないので，穿刺針が腫瘍から抜けないように短いストロークから徐々に広げていきます（97 頁参照）。

G：十分にストロークを行ったら穿刺針を抜去します。

❷ 膵頭体移行部病変（D1 からの穿刺）：フランシーン形状針，22G

（時間：2 分 5 秒）

A：描出法に従い，コンフルエンス（門脈，上腸間膜静脈）を描出します（29 頁 Step2 参照）（**写真 52**）。

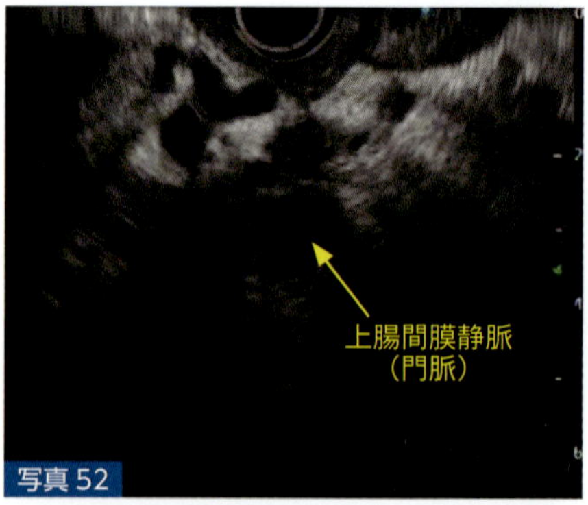

上腸間膜静脈（門脈）

写真 52

B：拡張した主膵管を時計回りに回旋させて追従していくと腫瘍が描出されてきます（**写真 53**）。さらに時計回りに回旋していくと総胆管が描出されます。総胆管への浸潤がないことを確認します（**写真 54**）。

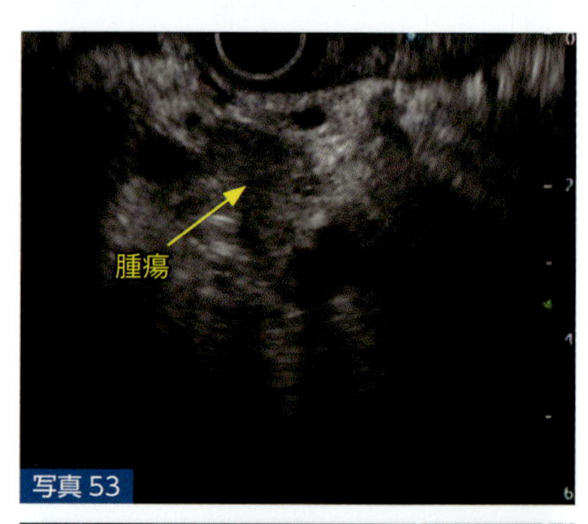

写真 53

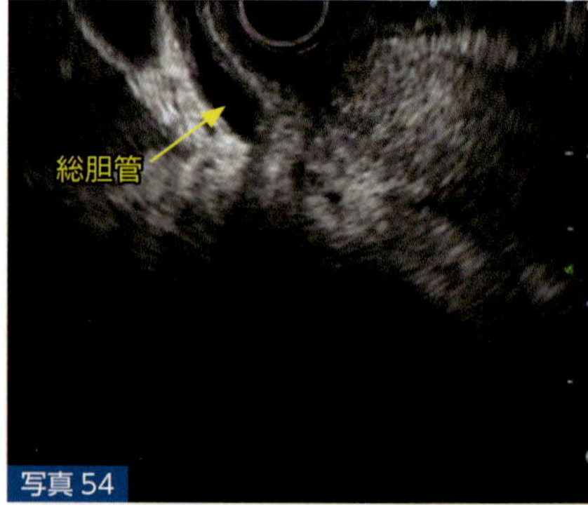

写真 54

C：時計回り，反時計回り両方の回旋操作で腫瘍の端から端まで描出します。この症例では腫瘍は全体が低エコーの充実性腫瘍であることが確認できます。しかし，ドップラーモードにすると十二指腸球部と腫瘍の間に多くの血管を認めます。これらは胃十二指腸動脈とその分枝血管です（**写真 55**）。それらを避けるため症例によっては少し穿刺針を曲げながら穿刺する場合もあります。

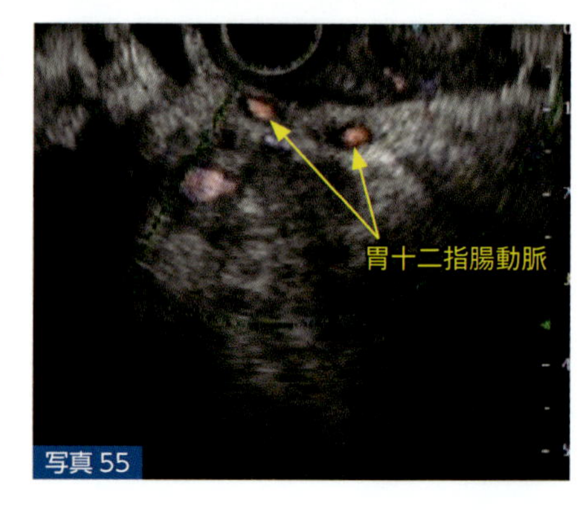

写真 55

D：この症例では，ダウン操作とPUSH操作で血管の間を抜けていく穿刺ラインを見つけることができます（**写真56**）。血管の間を穿刺する際は，穿刺ラインのすぐそばに描出されていない血管が走向している可能性もあり，しっかりと穿刺針の先端を描出しながら穿刺していくことが肝要です。十二指腸粘膜，そして腫瘍表面と順に穿刺針を進めます（**写真57，58**）。さらに穿刺針を腫瘍内に進めます。穿刺針の先端は穿刺針を進めた後，少し引くことで確認しやすくなります（**写真59**）。

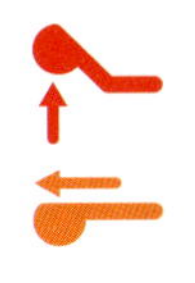

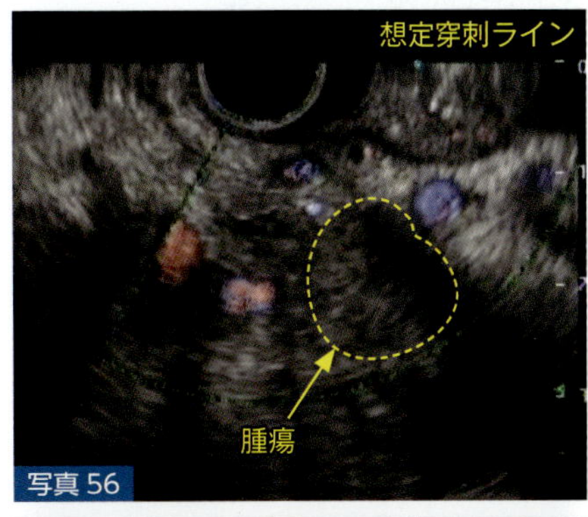

写真56

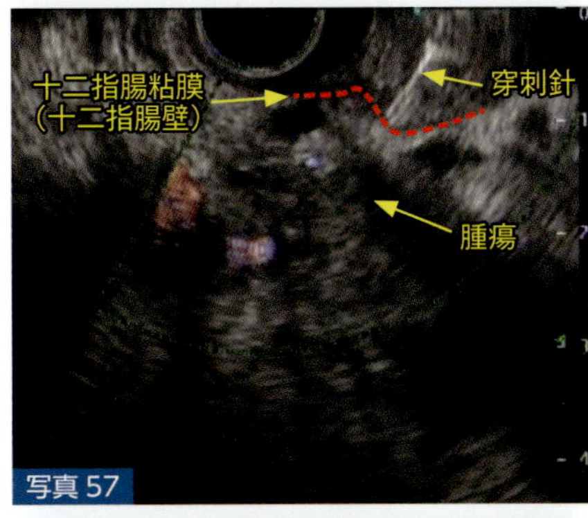

写真57

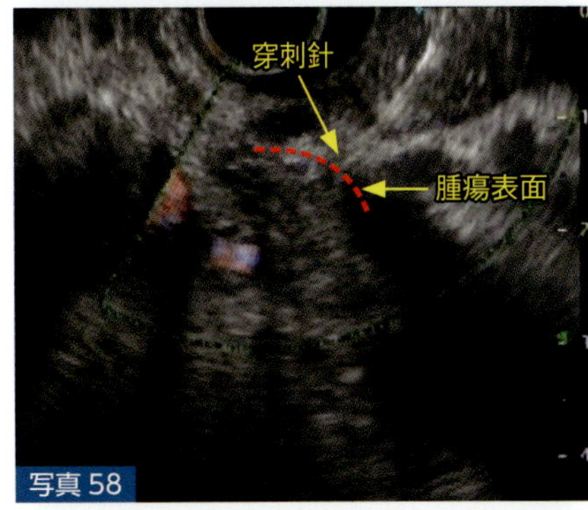

写真58

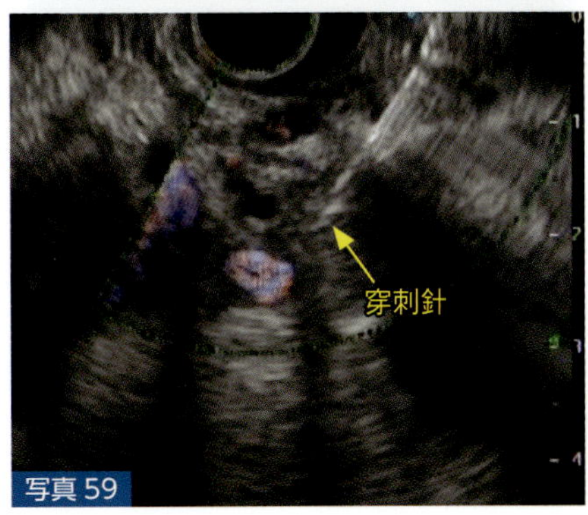

写真59

E：スタイレットをいったん押し込んだのちに抜去し，シリンジで吸引をかけてからストロークを行います。腫瘍の手前側と奥側にも血管があるので超音波画面を2画面にし，Bモードで穿刺針を，ドップラーモードで血管を各々確認しながらストロークを行います（90頁Step4注意2参照）（**写真60**）。ストロークはゆっくりと少しずつストロークの幅を広げていきます（96頁参照）。

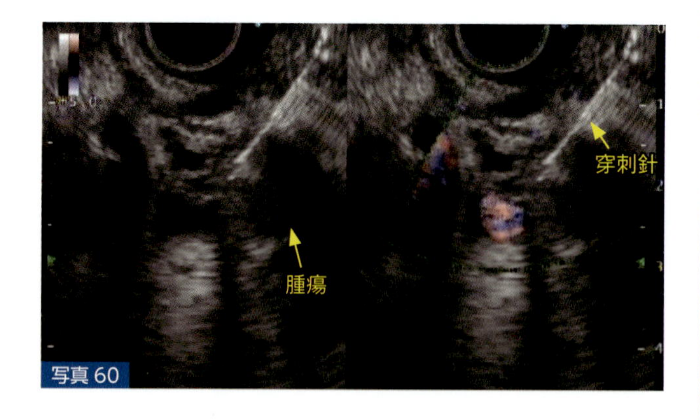

写真60

F：十分にストロークを行ったら穿刺針を抜去します。

3 膵鉤部病変（D2からの穿刺）：ランセット形状針，22G

（時間：2分23秒）

A：描出法に従い，SMV，SMAを描出します（43頁Step2参照）（**写真61**）。

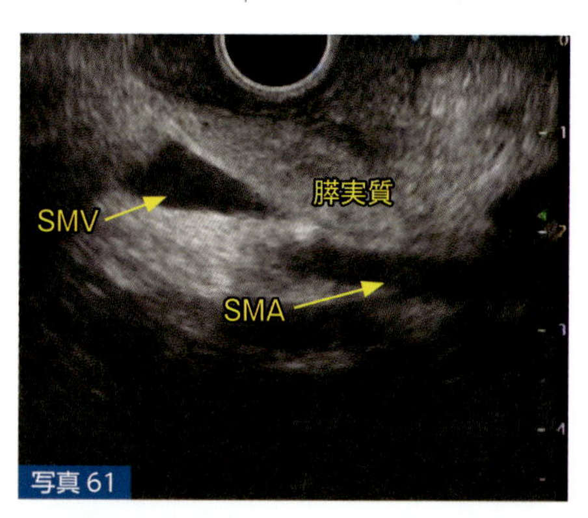

写真61

B：SMVとSMAを描出しながらPULL操作で腫瘍を描出します。腫瘍はSMVに隣接する低エコーの充実性腫瘍です（**写真62**）。

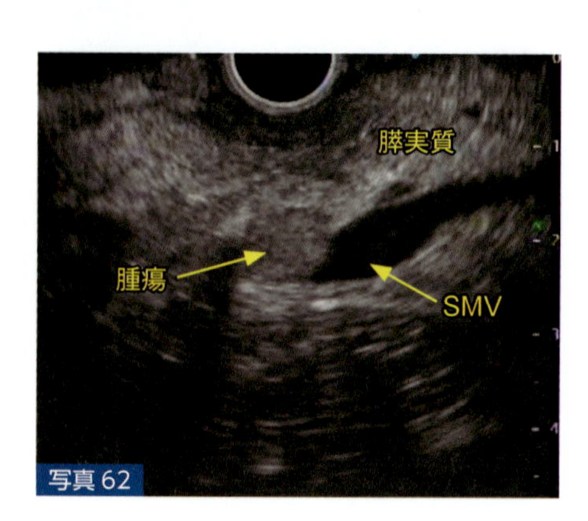

写真62

C：時計回り，反時計回り両方の回旋操作で腫瘍の端から端まで描出します。

D：ドップラーモードで，十二指腸壁内と膵内の血管および主膵管，総胆管を確認します。とくに，膵頭部では必ず主膵管，総胆管を確認し（**写真 63，64**），これらが描出されない穿刺ラインを探します。しかしこの症例では，呼気相の終末期に穿刺ライン上に膵内の血管が見えますが，吸気相の終末期には穿刺ライン上に膵内の血管は見えなくなります（**写真 65，66**）。

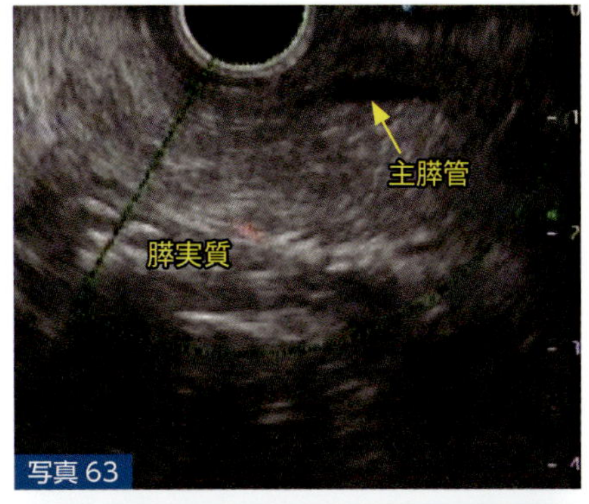

写真 63

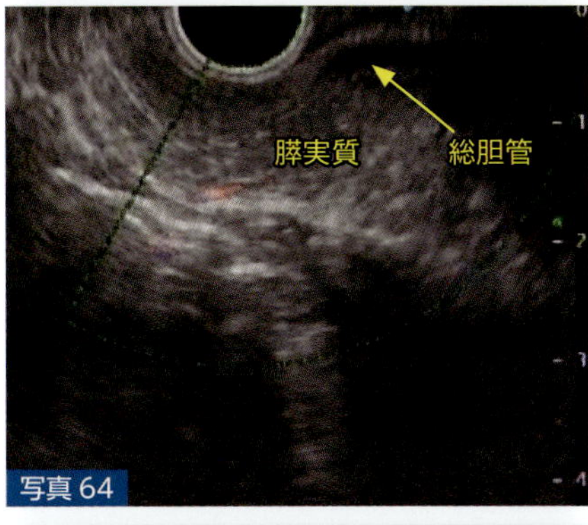

写真 64

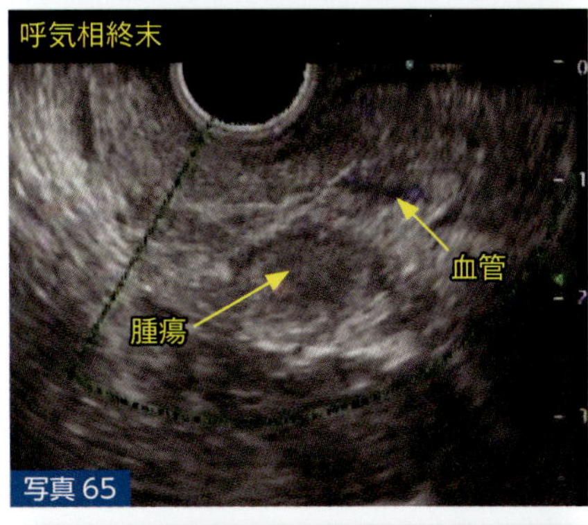

写真 65

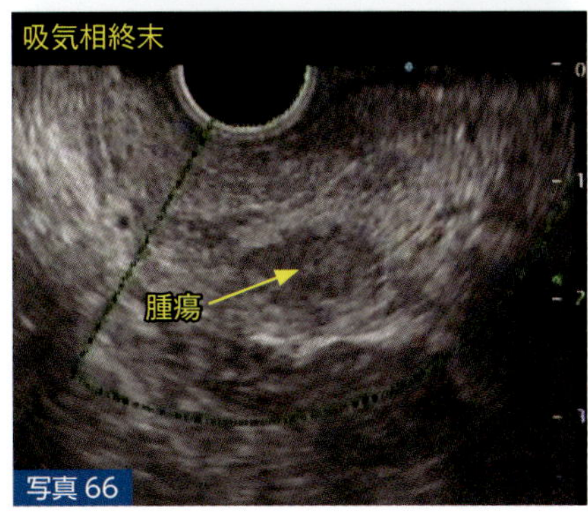

写真 66

E：穿刺開始時にはドップラーモードで介在する膵内の血管を確認しながら，針先を十二指腸粘膜へとゆっくりと進めていきます。吸気相の終末期に血管が描出されない時点で穿刺針を進めていき，血管を避けて腫瘍を穿刺します（91 頁 Step4 参照）（**写真 67 ～ 69**）。

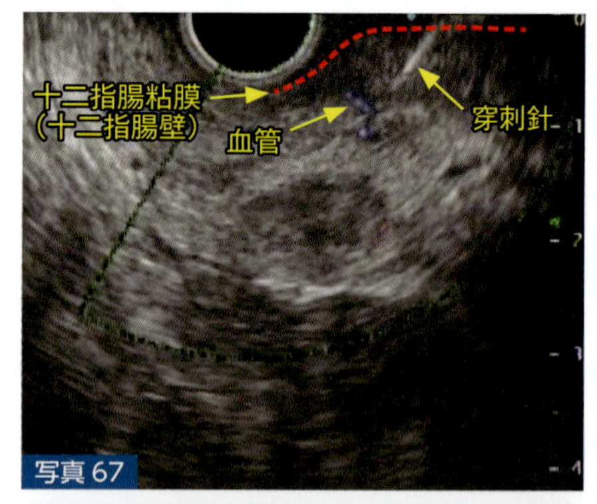

写真 67

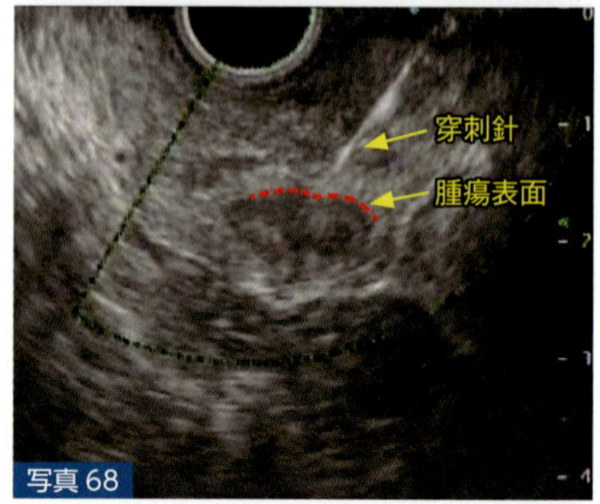

写真 68

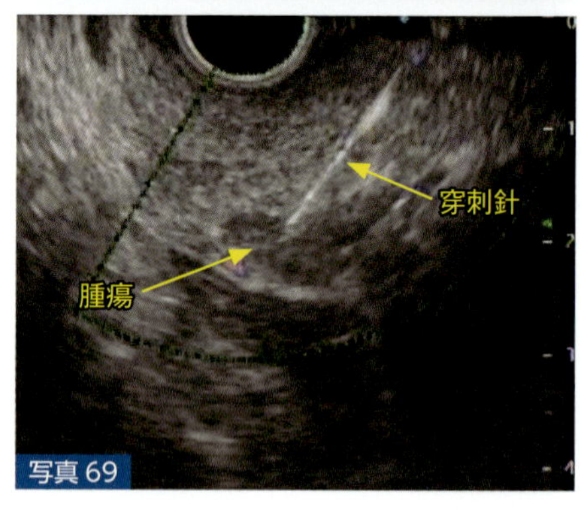

写真 69

F：スタイレットをいったん押し込んだのちに抜去し，シリンジで吸引をかけてからストロークを行います。腫瘍までの距離が長く，また腫瘍が軟らかく穿刺針と腫瘍が連動して動いているので，腫瘍が切りとれていないのがわかります。そのため，door-knocking 法を行いました。腫瘍奥に血管がなければ Seldinger 法になっても問題ありませんが，この症例では腫瘍奥に SMV が存在するので SMV を穿刺しないように，door-knocking 法は短めのストローク距離から始めました。また door-knocking 法は穿刺時に針先の方向も変わりやすいので注意が必要です。

G：十分にストロークを行ったら穿刺針を抜去します。

改訂第2版
胆膵EUS教本―コンベックスEUSを極める

定価（本体価格 5,200 円＋税）

2022 年 9 月 20 日　　第 2 版第 1 刷発行

監　修：大西　洋英
執　筆：関根　匡成
発行者：佐藤　枢

発行所：株式会社 へるす出版
〒164-0001　東京都中野区中野 2-2-3
Tel. 03-3384-8035（販売）　03-3384-8155（編集）
振替 00180-7-175971
http://www.herusu-shuppan.co.jp
印刷所：広研印刷株式会社

ISBN 978-4-86719-054-8